Jesus und das Danielbuch

Arbeiten zum Neuen Testament und Judentum (ANTJ)

Herausgegeben von Prof. Dr. Otto Betz

BAND 6/I

Verlag Peter Lang

Frankfurt am Main · Bern · New York · Nancy

Werner Grimm

JESUS UND DAS DANIELBUCH

BAND I: JESU EINSPRUCH GEGEN DAS OFFENBARUNGSSYSTEM DANIELS (MT 11, 25-27; LK 17, 20-21)

Verlag Peter Lang
Frankfurt am Main · Bern · New York · Nancy

Grimm, Werner:

Jesu Einspruch gegen das Offenbarungssystem
Daniels : (Mt 11, 25 – 27; Lk 17, 20 – 21) /
Werner Grimm. - Frankfurt am Main ; Bern ;
New York ; Nancy : Lang, 1984.
  (Jesus und das Danielbuch ; Bd. 1) (Ar=
  beiten zum Neuen Testament und Judentum ;
  (Bd. 6)
  ISBN 3-8204-5527-2
NE: 2. GT

Jesus und das Danielbuch. - Frankfurt am
Main ; Bern ; New York ; Nancy : Lang
  (Arbeiten zum Neuen Testament und Judentum ;
  Bd. 6)
NE: GT

Bd. 1. → Grimm, Werner: Jesu Einspruch gegen
das Offenbarungssystem Daniels

ISSN 0170-8856
ISBN 3-8204-5527-2
© Verlag Peter Lang GmbH, Frankfurt am Main 1984

Druck und Bindung: Weihert-Druck GmbH, Darmstadt

VORWORT

War die Apokalyptik wirklich die "Mutter aller christlichen
Theologie" (Käsemann)? Jesus bedient sich apokalyptischer
Begriffe, zweifellos. Aber damit sind sein Denken und seine
Botschaft noch nicht als 'apokalyptisch' ausgewiesen. Nur
eine Gegenüberstellung der präziser und enger zu fassenden
jüdischen Apokalyptik mit Logien Jesu führt in dieser Frage
zu größerer Klarheit und zu schärferen Konturen der Botschaft
Jesu.

Legt man nun eines der wenigen überlieferten Gebete Jesu
(Mt.11,25-27) neben ein Gebet Daniels mit demselben charakte-
ristischen Vokabular, so drängt sich eine Erkenntnis auf, die
verblüfft und die Forschung von neuem auf den Weg zwingt.
Die vorliegende Untersuchung möchte Weichenstellung und erster
Schritt sein.

Daß sie jetzt vorgelegt werden kann, verdanke ich Gesprächen
mit Kirchenrat Manfred Kuntz, Freudenstadt, und Otto Betz,
Verfasser des zweiten Bandes, sowie meiner Frau, die das Manu-
skript durchgesehen und auf einige Verdeutlichungen gedrungen
hat.

Stuttgart-Berg, im April 1984   Werner Grimm

MEINEN TÖCHTERN DANIELE UND CONSTANZE

INHALT

I   JESUS - INTIMUS GOTTES
Eine Auslegung von Mt.11,25-27 / Lk. 1o,21f

1. Mt.11,25-27 - ungelöste Fragen

Schon immer reizte dieses Logion, oft als 'Jubelruf' tituliert,
die Bibelwissenschaftler zu Spekulationen. Man spürte in ihm
gleichsam den Atem Jesu, die Eigenart seines Denkens, Fühlens,
Glaubens, und man erkannte oft auch die antagonistische Situation, in welcher Jesus so leidenschaftlich spricht.
Was Mt.11,25-27 bis zum heutigen Tag ungelöstes Rätsel bleiben
läßt, sind zwei Unklarheiten: der Bezug des Demonstrativprono-
mens 'dieses' (was wurde da offenbart bzw. verborgen?) und die
noch offene Frage, wer mit den "Weisen und Verständigen" gemeint
ist. Gedacht hat man bei letzteren meist an die Schriftgelehrten
und Pharisäer, mit denen sich Jesus ja ständig im Konflikt um
die wahre Lehre befand, oder an Weisheitslehrer, wie sie in den
Sprüchen Salomos oder in Jesus Sirach zu Wort kommen. Doch ver-
bieten sich diese zunächst naheliegenden Deutungen aus einem einfachen Grund: Schriftgelehrte bekommen ihre Erkenntnisse nicht
'offenbart', wie es in Mt.11,25 heißt, sondern sie erlangen sie
durch angestrengte Schriftforschung, durch die rationalen Methoden des Midrasch. Die Weisen im Sinne der Sprüche Salomos erlangen ihre Weisheit durch gesammelte Lebenserfahrung.
Auf welchen Sachverhalt oder Tatbestand oder Ereignis ein 'dies'
zurückverweist, erkennt man im Regelfall aus dem Zusammenhang, in welchem es steht, sei es in einer Rede, in einem Text
oder auch in einer eindeutigen Situation . Im Falle von
Mt.11,25-27 par., und das ist die eigentliche Schwierigkeit, sehen wir diesen Zusammenhang nicht. Denn der Zusammenhang des
Evangeliums, sei es Matthäus oder Lukas, ist ein sekundärer,
erst durch die Evangelisten hergestellter; diese fügten kleine,
ursprünglich isoliert überlieferte Sprucheinheiten unter bestimmten Gesichtspunkten aneinander. Man könnte nun zwar zeigen,
daß der 'Jubelruf' schon vor Lukas und Matthäus - in der sogenannten Spruchquelle Q - mit dem Weheruf über die galiläischen

Städte (Lk.1o,13-15; Mt.11,2o-24) verbunden war; nur ist schon
dieser Zusammenhang nicht in der Geschichte Jesu begründet, sondern im Zusammenfügen ursprünglich selbständiger Jesussprüche
durch den Redaktor der Spruchquelle Q.

2. Mt.11,25-27 - geprägte Form

Vorangestellt sei eine Übersetzung von Mt.11,25-27; wichtige
Abweichungen beim Seitenreferenten Lk.1o,21f bzw. Textvarian-
ten werden notiert; die hochgestellten Kleinbuchstaben
beziehen sich auf anschließend gegebene Erläuterungen zur
Textgestalt und zur Bedeutung einiger Vokabeln.

25a In jener (bestimmten)Zeit antwortete Jesus und sprach:[a]

   b Ich preise dich[b], Vater, Herr des Himmels [c]und der Erde[c],

   c daß du dies vor den Weisen und Experten[d] verborgen gehalten

   d und den Toren[e] es offenbart hast!

26 Ja, Vater, so hat es dir gefallen![f]

27a [g]Alles ist mir von meinem Vater übergeben;

   b niemand (er)kennt [h]den Sohn als allein der Vater,

   c und auch [h]den Vater (er)kennt niemand als allein der Sohn

   d und wem der Sohn offenbaren will.

Notwendigerweise nehmen die folgenden Anmerkungen zum Text
einige Resultate der Auslegung vorweg.

a. Lk.1o,21: "In ebendieser Stunde jubelte Jesus im Heiligen
   Geist und sagte" - diese Einleitung trifft den Charakter
   und die Stimmung des folgenden apokalyptischen Lobpreises
   gut. Siehe S. 17 .
b. Die übliche Übersetzung "Ich danke dir..." ist, gemessen am
   emphatischen, ja ekstatischen Ruf des Offenbarungsempfän-
   gers, viel zu blaß. Vgl. die Auslegung und EWNT II 2o-22[1].

---

1) "Einen durchaus neuen Sinn hat 'exhomologeomai' in der LXX
   ...dadurch erhalten, daß das Vb. überwiegend als Übers. von
   'hodāh' = 'preisen' gewählt wurde und somit Begriffen wie
   'psallō' = 'lobsingen' und 'aineō' = 'loben' an die Seite
   trat...Die ursprüngliche Bedeutung 'anerkennen'/'bekennen'
   klingt allerdings insofern noch an, als e. wie sein hebrä-
   isches Äquivalent zum Ausdruck bringt, daß sich im Lobpreis
   die öffentliche Anerkennung und Bezeugung der rettenden
   Macht Gottes vollzieht." (O.Hofius)

4

c. Bei Lk.10,21 fehlt in P 45 "und der Erde". "Herr des Himmels"
wäre noch stärkere Anlehnung an Dan.2,19 (MT: "Gott des Himmels"; Theod.: "Gott des Himmels"; LXX: "Herr, der höchste")
gegenüber Mt.11,25b mit deutlichem Anklang an Jes.44,24(ff).
Letzteres entspricht der Intention Jesu. Siehe S. 67f.
d. "hoi synhetoi" = "die Verständigen". Mit dieser Bezeichnung
spricht Jesus natürlich nicht ein eigenes Werturteil
aus, sondern zitiert die Selbstbezeichnung derer, die sich
dem 'Stand' der apokalyptischen Experten zurechnen. (Vgl. die
Bezeichnung "ʾōhabīm" bei Hosea, die Israels 'Liebhaber' in
einem abwertenden Sinn meint, weit davon entfernt, ihnen Lie-
besfähigkeit zu attestieren.)
e. Die Bezeichnung "nēpioi" = hebr. "pᵉtāʾīm" hat einen großen
Bedeutungsspielraum: Kinder, Kindliche, Unmündige, Dumme,
Toren, Nichtgebildete, Laien, Einfältige. Gemeint sind hier,
wie später gezeigt werden wird, Unwissende im Sinne des
Nicht-einer-Offenbarung-teilhaftig-geworden-Seins. Da Jesus,
wie wir sehen werden, in Mt.11,25 polemisch-aggressiv, provozierend und antithetisch spricht, empfiehlt sich eine Übersetzung, die die negative Assoziation seiner apokalyptischen
Zeitgenossen (vgl. nur äth.Hen.98,1.3.9f; 4.Esr.12,38) voll
aufnimmt.
f. wörtlich: "war es Wohlgefallen vor dir".
g. Nach einigen Handschriften und Textüberlieferungen hat Lk
hier eingeschoben: "und er wandte sich an seine Jünger und
sagte". Dies verrät ein gutes Gespür für das Element des Bekenntnisses im apokalyptischen Lobpreis (siehe S. 19) - im
Vollzug des Gebets wechselt gleichsam der Adressat, die Blick-
richtung. Dennoch unterbricht der Einschub hier natürlich
stilwidrig den Fluß des Lobpreises.
h. Lk "...wer der Sohn ist..."/"...wer der Vater ist..." zer-
stört das semitische Reziprokum zur Bezeichnung der Intimbeziehung und erhebt die Identitätsfrage zum Thema.

Mühelos lassen sich Mt.11,25f und 11,27, von der Forschung in

aller Regel gegeneinander isoliert und je für sich ausgelegt,

als zwei in der chiastischen Form gleichgestaltete, in der Sache

synthetisch fortschreitende Strophen eines Lobpreises begreifen.

Die 2. Strophe zerlegt den Offenbarungsvorgang, den die 1. Strophe

als gesamten in den Blick faßte, in seine einzelnen Phasen.

Die Eigenart des Lobpreises wird noch näher zu bestimmen sein;

er steht aber jedenfalls, was seine Struktur anlangt, in der

Tradition der Todā des Psalters[1].

---

1) Vgl. z.B. Ps.138 mit den Elementen Lobpreis (V.1-5.7) und
   Bekenntnis (V.6) mit Mt.11,25f/27.
   "Im Tempel bringt der Beter sein Danklied zum Dankopfer vor
   Gott und zur Unterrichtung der versammelten Gemeinde dar;
   darum spricht er nicht nur zu Jahwe, sondern auch über ihn.

STROPHE 1   (Lobpreisender zu Gott hin gewandt):

A <u>Lobpreis des Vaters</u>
   B   <u>Grund</u> des Preises: Verbergung
   B   Offenbarung (antithetisch)
A <u>Lobpreis des Vaters</u>, emphatisch gesteigert

STROPHE 2   (zu den Menschen hin gewandt):

A <u>Bezeugung, Bekenntnis</u>: Wissen übergeben: von Gott dem Mittler
   B   <u>Grund</u> und Ermöglichung der Wissensübergabe:
   B   die Intimbeziehung Vater - Sohn (reziprok)
A   offenbartes Wissen wird weitergegeben:
                vom Mittler einem Kreis von Empfängern

Beide Strophen weisen eine A-B-B-A-Makrostruktur auf; innerhalb
der 2. Strophe sind das 2. und 3. Glied noch einmal chiastisch
gebaut (Sohn, Vater; Vater, Sohn).
Die vierten Glieder der beiden Strophen beziehen sich deutlich
aufeinander; die erste Strophe mündet in die Bekräftigung des
Willens des Vaters, die zweite in den Verweis auf den Willen
des Sohnes.
Die poetisch klare, einprägsame Struktur erklärt im übrigen den
auffälligen Tatbestand, daß Matthäus und Lukas den Lobpreis Jesu
fast gleichlautend bieten: sie schützte vor Zersagung.

Diese doppelte Sprechrichtung ist für das Danklied nach erfolg-
ter Rettung...ebenso kennzeichnend wie die Belehrung der Mit-
feiernden und wie der Hinweis auf das gelobte Opfer." (H.W.Wolff
in BK XIV 3, S.1o4)
Nichts zwingt also, mit P.Hoffmann, S.1o9, eine Zweistufigkeit
des Entstehens von Mt.11,25f/27 anzunehmen. Seine im übrigen
vielen Aspekten gerecht werdende Auslegung postuliert folgendes
(zu) komplizierte Verhältnis zwischen V.25f und V.27: "Im Gegensatz zum ersten Logion offenbart und erwählt im zweiten jedoch nicht der Vater, sondern der Sohn. Die Übereinstimmungen
auf der einen, die inhaltlichen Unterschiede auf der anderen
Seite schließen einen einheitlichen Ursprung der zwei Logien
aus; sie machen aber auch die Annahme unwahrscheinlich, es
handle sich um zwei voneinander unabhängige Einzellogien. Dem
Befund entspricht es mehr, im zweiten Logion ein Interpreta-
ment des ersten zu sehen; innerhalb der Überlieferung -
spätestens bei der Redaktion der Logienquelle - wurde es

hinzugefügt, um ein altes nicht mehr verstandenes Wort der
Überlieferung (der Inhalt der den Einfältigen geschenkten
Offenbarung war dem ohne Situationsangabe überlieferten Logion nicht mehr zu entnehmen; 'tauta' ist ohne Beziehung)
in einer neuen Situation verständlich zu machen."

3.   Mt.11,25-27 - authentisch

Daß es sich in Mt.11,25f um ein von Jesus so gesagtes, mit Jo-
achim Jeremias gesprochen: um ein verbum ipsissimum handelt,
wird heute ernsthaft nicht mehr bezweifelt. Allenfalls umstritten
bleibt die Urheberschaft von Mt.11,27/Lk.1o,22 und die Frage, ob
dieses Logion mit Mt.11,25f / Lk.1o,21 eine ursprüngliche Einheit bildet.
R.Riesner hat die Indizien, die für die Authentizität von Mt.11,
25f sprechen, umfassend aufgeführt: Zahlreiche Semitismen weisen
auf ein aram. oder hebr. Wort; Paulus bereits bezieht sich in
1.Kor.1,26f auf das besagte Logion; die poetische Form ist für
Jesus typisch.[1] M.E. sind das alles wertvolle Anzeichen für ein
hohes Alter des Logions; die wirklich durchschlagenden Gründe für
die Authentizität liegen anderswo.
Ein formaler sei hier schon genannt. Mt.11,25f ist aus sich
selbst nicht aussagekräftig. Auf das (interessierende!) Objekt,
den Offenbarungsinhalt, wird mit dem Demonstrativum "dieses" ver-
wiesen. Das gibt nur Sinn, wenn es in einem literarischen Kontext
zuvor benannt war oder in einer geschichtlichen Situation offen
zutage lag. In der Tat spricht alles dafür, daß ein Moment der
Geschichte Jesu diese offenbare Situation war, denn der je verschiedene Kontext des Lobpreises in Mt und Lk verbietet die Annahme, er könnte von vornherein nur als Bestandteil eines größe-
ren, fest fixierten Zusammenhangs konzipiert worden sein. In einem von der Gemeinde mit bestimmten Verkündigungsabsichten gebil-
deten Logion hätte es sich eben nicht erübrigt, das Objekt, Offen-
barungsinhalte, präzise zu benennen.[2]
Eine nichtjesuanische Herkunft von Mt.11,27/Lk.1o,22 hat man bis
heute immer wieder mit einer angeblichen Nähe des Wortes zu 'hellenistischer Mystik' bzw. johanneischer Sprache begründet. Aber
auch hier erweist sich bei näherem Zusehen der semitische Sprachcharakter[3], und zwar gerade am umstrittendsten Punkt. Das

---

1) Riesner, S.335-337
2) Vgl. auch Grimm, Verkündigung, S.112 zu Mt.13,16f/Lk.1o,23f.
3) Vgl. umfassend Jeremias, S.63-65; Riesner, S.22o-222.

wechselseitige Erkennen von Vater und Sohn im 2. und 3. Glied
des viergliedrigen Spruches erklärt sich philologisch sehr einfach aus dem Fehlen eines Reziprokpronomens 'einander' im Semitischen. Daher wird eine Wiederholung mit dem Tausch von Subjekt
und Objekt notwendig. Als Beleg sei ein sehr naheliegendes Beispiel angeführt: "Wie schon jetzt kein Vater den Sohn und kein
Sohn den Vater...senden kann, daß er für ihn krank sei..."
(4.Esr.7,1o4).[1] Das wechselseitige Erkennen von Vater und Sohn
meint, wie in der Auslegung zu zeigen sein wird, die Tiefe einer
Intimbeziehung.

Was die Nähe von Mt.11,27 zur johanneischen Christus-Verkündi-
gung anlangt, mit welcher Beobachtung meist, ausgesprochen oder
unausgesprochen, die Urheberschaft Jesu bestritten wird, so ist
m.E. zweierlei zu bedenken:

1. Zwar finden sich im Johannesevangelium Reziprozitätsaussagen
verwandter Art, bei näherem Zusehen jedoch nur eine einzige
wirkliche Parallele zu Mt.11,27 b c , dem reziproken Erkennen
von Vater und Sohn, Joh.1o,14f:

> Ich kenne die Meinen,
> und die Meinen kennen mich,
> wie mich der Vater kennt
> und ich ihn kenne.

2. Aber auch abgesehen davon drängt sich hier - grundsätzlich -
eine Sicht der Dinge auf, wie sie W.Schadewaldt vertritt und in
einem anderen Zusammenhang in ein treffendes Bild gekleidet hat:
"Man stößt beim Lesen der Synoptiker auf Worte Jesu..., die so
sind, daß eigentlich in diesen Worten Jesu...Keime des Theologischen, des Kerygmatischen liegen, zarteste kleine Keime, Präfor-
mationen. Es würde doch nun nahe liegen zu sagen, daß hier die
Keime des Späteren liegen...." (S.214)

Ein durchschlagendes Argument für die Authentizität von Mt.11,27
bedeutet im übrigen die oben dargestellte und im weiteren noch

---

1) Vgl. noch Tob.5,2X und Mek.15,1 zu "Das Pferd und sein
   Reiter": "Das besagt, daß das Pferd an den Reiter gebunden und
   der Reiter an das Pferd gebunden...".

deutlicher werdende ursprüngliche Einheit von Mt.11,25f und
11,27: wenn Mt.11,25f, wie mit Recht angenommen, von Jesus stammt,
kann Mt.11,27 ihm nicht gut abgesprochen werden.[1]

---

1) P.Hoffmann, S.1o2-142, hält allenfalls Mt.11,25f für mögli-
   cherweise jesuanisch: es äußere dann Jesu Konflikt mit den
   Schriftgelehrten. Im übrigen habe es seinen Sitz im
   Leben der Q-Gruppe, die sich diesen Gegensatz "zu eigen machen"
   konnte. Die Q-Gruppe bildete, Hoffmann zufolge, 11,27 und fügte
   es 11,25f an, wodurch sie ihr Wirken als Boten Jesu Christi
   mit einer österlichen "Apokalypsis des Sohnes" legitimierte.
   Ein so komplizierter Entstehungsprozeß kann aber doch ernsthaft nur dann erwogen werden, wenn eine einfache Erklärung des
   Ganzen aus dem Leben Jesu scheitert.

4. Die Lobpreisungen der Apokalyptiker

Vorbemerkung. Der Begriff des apokalyptischen Lobpreises alter-
niert im folgenden öfters mit dem des apokalyptischen Dankgebets . Dies entspricht verschiedenen Nuancen ein und derselben
Gattung. Zum Dankgebet als einem (sekundären) Modus des Gottes-
lobs vgl. Westermann, S.137.

Hartnäckig hält sich in der Bibelwissenschaft die Behauptung,
Mt.11,25-27 gehöre in die Reihe jener Jesusworte, die seine Kon-
troversen mit pharisäischen Schriftgelehrten spiegeln.
In Wahrheit führen uns die Schlüsselworte des oft so genannten
'Jubelrufs' wie kein anderes Wort der Evangelien an den Ort und
in die besondere Stunde, wo Jesus die Offenbarung seines himmlischen Vaters empfängt und in einer Ekstase der Freude (Lk.1o,
21) dem Gott-Vater und Weltschöpfer lobpreisend antwortet.
Sehen wir noch vom revolutionären Gehalt des Lobpreises Jesu ab,
so befindet sich Jesus eindeutig in Gesellschaft der zeitgenössischen apokalyptischen Visionäre.
Das sind jene späten Propheten, die unter dem Pseudonym und der
Autorität einer großen religiösen Gestalt der Vorzeit Israels
in Zeiten höchster Not und Bedrängnis ihre gewaltigen Schauungen
des Geschichtsplans Gottes vorlegten. In ihm sind Etappen und
Stationen der vom tatsächlichen Standort des Apokalyptikers aus
gesehen vergangenen und der künftigen Geschichte - verschlüs-
selt - enthalten. Anders als in der klassischen Prophetie trägt
auch das, was der Apokalyptiker rückschauend darstellt, das
Gewand der Zukunftsschau.

"Der Zurückverlegung der Visionen in die Exilszeit [durch den
Apokalyptiker, der im Danielbuch zu Worte kommt] entspricht die
Weisung, sie lange geheimzuhalten (8,26; 12,4). So ist motiviert,
daß sie bisher unbekannt waren. Sie haben nun das Gewicht nicht
nur der Beglaubigung durch das bisher Eingetretene, sondern auch
der Herkunft aus der Zeit, in der es noch die Propheten im Voll-
sinn gab." (R.Smend, Die Entstehung des Alten Testaments. Theologische Wissenschaft Bd.I, [2]1981, S. 224) Den tatsächlichen
geschichtlichen Ort etwa des Apokalyptikers 'Daniel' erkennt
man in Dan.11,39/4o: Dan.11,21-39 stimmt exakt überein mit dem
Geschichtsverlauf bis 167 v.Chr. Dagegen ist 11,4o-45 offensichtlich echte Weissagung, die so nicht eintraf. (Smend, S.
223f)

Nach Zeiten einer letzten, ins Extrem gesteigerten Drangsal -
Dan.8,19; 11,36 sprechen von der Zeit des göttlichen Zorns
("za^{c}am") - werde Gottes Herrschaft schlußendlich "in einem Nu"
(Dan.2,35) und für immer die letzte, vollendet böse Weltmacht
ablösen. Alle Gerechten werden leidloses Leben, alle Sünder ewige Verdammnis empfangen - dies, kurz zusammengefaßt, der wesentliche Inhalt apokalyptischer Prophetie.
Der apokalyptische Lobpreis, wie er Mt.11,25 nach Situation
und Diktion entspricht, geschieht nun in der Regel in der Stunde des Offenbarungsempfangs; er hat seinen literarischen Ort
nach einer visionären Schau und gehört - unablösbar - zu einem
Visionsereignis, welches er jeweils abschließt. (Nach einem Lobpreis wird in äth.Hen und 4.Esr durchweg ein neues Visionserleb-
nis oder Geschehen erzählt.)

Der Apokalyptiker, der den 'äthiopischen Henoch' verfaßte,
schaute in der ersten sogenannten 'Bilderrede' die himmlischen
Wohnungen der Gerechten. An die Vision schließt sich der Lobpreis 39,9-11 an:

> 9 In jenen Tagen lobte und erhob ich den Namen des Herrn
> der Geister mit Segens- und Lobliedern, weil er das
> Segnen und Rühmen nach dem Wohlgefallen des Herrn der
> Geister für mich bestimmt hat.
> 1o Geraume Zeit betrachteten meine Augen jenen Ort, und ich
> segnete und erhob ihn, indem ich sagte:
> 'Gesegnet und gepriesen sei er von Anfang bis in
> Ewigkeit;
> 11 vor ihm gibt es kein Aufhören.
> Er weiß, was die Welt ist, bevor sie geschaffen wurde,
> und was sein wird von Geschlecht zu Geschlecht.'

Äth.Hen.25,7

> Da pries ich den Herrn der Herrlichkeit,
> den König der Ewigkeit,
> daß er solches für die gerechten Menschen zubereitet,
> solches geschaffen und verheißen hat,
> es ihnen zu geben

ist ebenso Abschluß einer Schauung wie das äußerst komprimiert
referierte äth.Hen.27,5

> Da pries ich den Herrn der Herrlichkeit und verkündete
> seinen Ruhm und stimmte einen geziemenden Lobgesang an.

Ähnliche, z.T. weiter ausgeführte und mit Elementen der Bitte
angereicherte, z.T. nur kurz referierte Lobpreisungen finden
wir in äth.Hen.36,4; 83,11 — 84,6 und 9o,4o sowie in syr.Apk.
Bar. 54 und 75.

Verwandt sind äth.Hen. 61,11-13; 63,2-4; 69,26 - bei diesen
Stellen handelt es sich um Loblieder, die der Visionär als
künftiges Ereignis schaut: sie werden in der Stunde der universalen Offenbarung der Königsherrschaft Gottes bzw. des Menschensohns allgemein angestimmt.

Aus dem 4. Esrabuch sei 13,57 angeführt, der Schluß des
sechsten Gesichts:

> So ging ich von dannen und wandelte durch die Gefilde,
> voll Lob und Preis gegen den Höchsten,
> um der Wunder willen, die er zu seiner Zeit wirkt:
> er regiert ja die Stunden und was in den Stunden
> geschieht.

In der Qumrangemeinde, einer z.Z. Jesu am Toten Meer lebenden
jüdischen Sekte mit eschatologisch motiviertem mönchischem Le-
bensideal, entstand eine Sammlung 'Danklieder' (Hodayoth), die
sich vielfach auf empfangene Weisheit bzw. Offenbarung von letzten Geheimnissen beziehen. Daraus zitiere ich als Beispiel
1 QH 7,26f:

> Ich preise dich, Herr,
> denn[1] du hast mich klug gemacht durch deine Wahrheit
> und hast mir Einsicht gegeben[2] in deine wunderbaren
> Geheimnisse[3].

Ein weiteres, gut illustrierendes Beispiel ist das Gebet des
jüdischen Feldherrn Josephus in der Wende des Jüdischen Krieges
(66-7o n.Chr.). Der Verfasser von 'De Bello Judaico' benützt
hier die apokalyptische Form des Gebets in der Stunde des Offenbarungsempfangs, um sein Überlaufen zu den Römern als einen
dem Willen Gottes gemäßen Akt darzustellen!

---

1) "ʾōd^{e}kā ʾa$dōnāj ki"; vgl. noch 1 QH 2,2o.31; 3,19.37; 4,5;
   5,5.
2) Hif^{c}il "jd^c"; vgl. Dan.2,23b; 1 QH 1o,14; 11,16 und 2,13:
   Der 'Lehrer der Gerechtigkeit' ist "Dolmetscher der 'da^{c}at'
   in wunderbaren Geheimnissen".
3) Vgl. ähnliche Inhalte auch in 1 QH 1o,14ff.27ff; 11,15f.

Er bereitet es vor mit dem Hinweis auf seine in priesterlicher
Herkunft begründeten Fähigkeiten, Träume auszulegen und zweideutige Weissagungen der Schrift zu klären (Bell.3,353f):

> Als er [Josephus] nun in jener Stunde damals[1] durch
> diese [Weissagungen der Schrift] in das Geheimnis Gottes
> versenkt war und die furchterregenden Bilder der erst kurz
> zurückliegenden Träume in sich hervorholte, brachte er
> Gott insgeheim ein Gebet dar und sprach:
> 'Da es dir gefällt, daß das Volk der Juden, das du
> geschaffen hast, in die Kniee sinkt und alles Glück
> zu den Römern übergegangen ist, und du ferner meine
> Seele erwählt hast, die künftigen Dinge anzusagen,
> so ergebe ich mich aus freien Stücken den Römern und
> bleibe am Leben.
> Ich rufe dich zum Zeugen an, daß ich diesen Schritt
> nicht als Verräter, sondern als dein Diener tue.'

Als Josephus, gleichermaßen von den angreifenden römischen
Truppen und von den Verrat witternden Landsleuten unter stärksten Druck gesetzt, sich zu einer schwerwiegenden Entscheidung
gedrängt sieht, da stellt sich ihm "in jener Stunde damals" die
befreiende 'Erkenntnis' ein. Sie resultiert aus Offenbarung
und Schriftdeutung:[2] frühere nächtliche Träume werden zu Weissagungen der Schrift - richtig - in Beziehung gesetzt. Das Ergeb-
nis dieses Erkenntnisprozesses wird nur indirekt mitgeteilt; es
spiegelt sich im unmittelbar anschließenden Gebet.

Was die religionsgeschichtlichen Voraussetzungen und Vorstufen
der hier und im folgenden Kapitel genannten apokalyptischen Lobpreisungen und Dankgebete anlangt, so wurde schon auf die Todā
des Psalters hingewiesen (siehe S. 4). Anmerkungsweise sei hier
die Vermutung geäußert, daß die Gebete, die die Rettergestalten
Gideon und David nach Empfang einer (prophetischen) Offenbarung
und Verheißung Gott dargebracht haben (Ri.7,15 ; 2.Sam.7,17ff),
'formgeschichtlich' das Zwischenglied und die Brücke zwischen
der Todā des Psalters und den apokalyptischen Lobpsalmen sind.

---

1) "epi tēs tote hōras"
2) Die Bezogenheit schon der danielischen Visionen auf prophetische Verheißungen zeigt Dan.9: Daniel sucht, über die
   Jeremia-Schrift gebeugt, aus Jer.25,11f; 29,1o die Zahl der
   Jahre bis zum erlösenden Ende zu ergründen, und erhält darüber die göttliche Aufklärung.

5.   Der Lobpreis Daniels   (Dan.2,19-23)

Den innerhalb der apokalyptischen Tradition ältesten Lobpreis
als 'Bekenntnis' eines Offenbarungsempfangs finden wir in
Dan.2,19-23. Der Seher, so erzählt das Danielbuch, hat ihn
in jener Stunde gesprochen, als ihm der Sinn von Nebukadnezars
Traum - er beinhaltete den göttlichen Plan der Weltgeschichte
mit der Abfolge von 4 Weltreichen und deren Ablösung am Ende
der Zeit durch das unzerstörbare, alles umfassende Gottesreich -
in einem Nachtgesicht offenbart wurde:

19   Da(mals)^a wurde Daniel in einer Schauung in der Nacht
      das Geheimnis^b offenbart^c. Da(mals)^a pries Daniel
      den Gott des Himmels^d.

2oa   Es antwortete Daniel und sagte^e:

   b   Gepriesen sei der Name Gottes^f von Ewigkeit zu Ewigkeit,

   c   denn^g die Weisheit und die Macht - sein sind sie !

21a   Und er bestimmt den Wechsel der Zeiten und Fristen;

   b   er setzt Könige ab und setzt Könige ein;

   c   er gibt Weisheit den Weisen^h

   d   und Wissen den Verständigen^i.

22a   Er offenbart^c das (in der) Tiefe (Liegende)
                      und das Verborgene^k (die Geheimnisse);

   b   er weiß^l, was im Dunkeln ist,

   c   und das Licht - bei ihm ist es.

23a   Dich, Gott meiner Väter^m, preise ich^n und rühme ich,

   b   daß^g du Weisheit und Verstand^o mir gegeben hast^p.

   c   Ja, jetzt hast du mich erkennen lassen^q,
                      was wir von dir erfleht haben;

   d   die Sache (=Inhalt, Sinn des Traums) des Königs
                      hast du uns erkennen lassen$^{q\ r}$.

Die folgenden Anmerkungen zum Text weisen auf jene Punkte hin, die in Mt.11,25-27 par. eine auffällige, noch zu deutende Entsprechung haben.

a. MT: "ᵓdjn". Jastrow, 16b, schlägt als Übersetzung dieser fast nur in Dan.2 vorkommenden Vokabel vor: "at that time" oder "at the same time". Theod., LXX übersetzen - etwas blaß - "tote". Der Funktion nach markiert "ᵓdjn" den genauen Zeitpunkt, an dem die Offenbarung bzw. der antwortende Lobpreis geschah. Vermutlich ist ein solches "ᵓdjn" die gemeinsame Wurzel der Zeitbestimmungen von Mt.11,25a und Lk.1o,21a.

b. MT: "rzh"; LXX; Theod.: "to mystērion".

c. MT: "glᵓ "; Theod.: "apokalyptein".

d. so MT und Theod.; LXX: "den Herrn [kyrion] , den höchsten".

e. MT: "ᶜnh...wᵓmr".

f. LXX: "tou kyriou tou megalou".

g. MT: "di"; LXX; Theod.: "hoti". Leitet wie das "hoti" in Mt. 11,25 die Begründung des Lobpreises ein.

h. MT: "ḥakkimīn"; LXX: "sophois"; Theod.: "tois sophois".

i. MT: "lᵉjādᵉᶜēj bīnā"; Theod.: tois eidósin sýnesin".

k. Theod.: "apokrypha".

l. MT: "jdᶜ"; LXX; Theod.: "ginōskōn".

m. LXX: "kyrie tōn paterōn mou".

n. MT: "mᵉhōdēᵓ "; LXX; Theod.: "exhomologoumai".

o. mit LXX: "phronēsis".

p. MT: "jhb"; LXX; Theod.: "didonai".

q. MT: hi. "jdᶜ". Vgl. dieselbe Form in 1 QH 7,26f.

r. LXX: "pros tauta" eingefügt.

Der Hymnus ist in vielen Parallelismen aufgebaut und bietet sich in einer sehr klaren und poetisch schönen Form dar:

Situationsangabe V.19

Einleitung   V.2oa

1. Strophe   V.2ob   Preis des Gottesnamens

                  V.2oc-22 Grund, Inhalt, das 'Wofür' des Lobpreises in hymnischen Prädikationen

2. Strophe   V.23a   Preisende Anrede

                  V.23b-d Grund, das 'Wofür' des Lobpreises in Sätzen, die das allgemeine (b) und das besondere (c-d) Handeln am Offenbarungsmittler bekennen.

Man achte auf die kunstvolle Gedankenführung in beiden Strophen,
die sich erst bei längerem Betrachten erschließt.
In Strophe 1 bringt die erste Prädikation (20c) die beiden Grund-
wirkweisen Gottes auf den kurzen Nenner der Begriffe 'Macht' und
'Weisheit'. Damit ist zum einen sein Schöpferhandeln und die Geschichtsmächtigkeit, zum andern die (hinter der Schöpfung liegende) Weisheit als die letzte Quelle alles menschlichen Wissens
benannt.
Entsprechend preist V.21 ein doppeltes Tun Gottes: Gott handelt
souverän in der Geschichte (a.b) und gibt herausgehobenen "weiser
Menschen allgemein Weisheit und konkret Wissen, nämlich - so wird
zu ergänzen sein - Einsicht in den Geschichtsplan (c.d). (Das
Wissen, von dem der Hymnus spricht, läßt sich eindeutig als auf
den Geschichtsplan Gottes bezogenes - offenbartes - bestimmen.)
V.22 (Klimax) peilt dann den Offenbarungsvorgang als von Gott er-
öffnetes Geschehen an und begründet die Realität von apokalyptischen Offenbarungen mit dem Allwissen Gottes.
Bediente sich der Verfasser in der 1.Strophe eines distanzierten
Er-Stils in seinem Gotteslob, so tritt er in Strophe 2 in die Intimität der Du-Anrede. War in Strophe 1 ganz allgemein auf die
Faktizität von Offenbarung vermittels besonderer 'Weiser' abge-
hoben, so bezieht sich der Apokalyptiker in Strophe 2 (V.23) kon-
zentriert auf die ihm prinzipiell gegebene apokalyptische Weisheit (b) und die ihm jetzt konkret zuteilgewordene Erkenntnis
(c.d). Man kann auch sagen: Die 2.Strophe schreitet von der Feststellung eines Daniel gegebenen Charismas 'allgemein' (V.23b)
über die 'besondere', konkrete Offenbarung (V.23c) zum Offenbarungsinhalt (V.23d).

6. Die Gattungsmerkmale des apokalyptischen Lobpreises

Im folgenden sollen die wesensmäßige Verwandtschaft der genannten Lobpreisungen und Dankgebete, sprachliche und inhaltliche
Parallelen und damit die eine Gattung 'apokalyptischer Lobpreis'
konstituierenden Merkmale aufgezeigt werden.

a) Der Lobpreis fällt in die außerordentliche 'Stunde' des Offenbarungsempfangs, ist geradezu seine sichtbare Außenseite
(Dan.2,19: "damals"; äth.Hen.39,9: "in jenen Tagen"; Mt.11,25:
"zu jener [bestimmten] Zeit"; Lk.1o,21: "in eben dieser Stunde";
Bell.3,353: "in jener Stunde damals").
b) Verschiedentlich wird von einer ekstatischen Freude des Be-
ters berichtet: äth.Hen.69,26; Mt.11,25/Lk.1o,21 ("jubelte im
heiligen Geist"); Ant.1o,2o1 (Daniel erhob sich nach dem Empfang
der Offenbarung "voller Freude" und dankte); 4.Esr.13,57.
Daß das Motiv in Bell.3,354 fehlt, mag mit dem Inhalt der empfangenen Offenbarung zusammenhängen. Gott offenbart dem Josephus in Jotapata das über das jüdische Volk beschlossene Unheil.
Damit ist für den Juden Josephus - trotz der Auszeichnung, die
in der empfangenen Offenbarung liegt - Klage, nicht Freude geboten.
c) Alle genannten lobpreisenden Dankgebete beziehen sich auf
empfangene Offenbarung himmlischer Geheimnisse[1], wobei die Vokabeln "offenbaren" und "Geheimnis(se)" zwar häufig vorkommen, die
gemeinte Sache aber auch durch verwandte Terms bzw. Umschreibun-
gen präsent sein kann.
Hebr. "ki", aram. "di" bzw. griech. "hoti" leitet in verschiedenen Nuancierungen den Grund, Gegenstand, Inhalt, das Wofür des
Lobpreises ein. Es entspricht eher einem Doppelpunkt (plus Ausru-
fezeichen am Ende des von ihm eingeleiteten Satzes) als einem
streng kausalen 'denn' oder 'weil'.

---

1) also auf den Kernvorgang aller Apokalyptik, von dem sie ihren
   Namen hat. Vgl. z.B. äth.Hen.41,1; 59,1-3; 63,2-3; 71,3f; 1 QH
   1,21; 2,13; 4,27f; 7,26f; 12,13f; Bell.3,353; Dan.2,19-23.

d) Die Offenbarung versetzt den Seher in einen besonderen 'Erkenntnis-Stand'. Er erkennt nun ("jd^c" im Qal oder Hif^{c}il), was den Normal-Sterblichen verschlossen ist (1 QH 7,26f; Dan.2, 23; vgl. auch das Material von P.Hoffmann, S.123-131).

e) Oft werden die himmlischen Geheimnisse durch das Demonstrativum "dieses" ("tauta") (Mt.11,25; Ant.1o,2o1; vgl. 4.Esr.7,76; 13,52.56) oder durch ein "alles" ("panta") (Mt.11,27; vgl. 4.Esr.1o,52; 12,37; äth.Hen.51,3; 82,1; 83,1of; 9o,39; Mt.24,6 Apparat Nestle/Aland) oder durch die Wendung "dies alles" (Dan. 12,7; äth.Hen.52,4; 83,9; 4.Esr.6,33; 1o,52; 12,37; 14,49 und schon Gen.41,39) zusammenfassend bezeichnet.[1]

f) Im Gotteslob wird <u>Gott</u> insbesondere <u>als Schöpfer und als Herr über die überirdische und irdische Welt</u> gerühmt (Dan.2,19: "Gott des Himmels"; äth.Hen.25,7; 27,5; 36,4: "Herr der Herrlichkeit"; äth.Hen.39,9; 63,2: "Herr der Geister"; Mt.11,25: "Herr des Himmels und der Erde"; Bell.3,354: Schöpfer Israels), <u>der als solcher die "verborgenen Dinge" kennt</u> (Dan.2,22; äth.Hen.39,11; 84, 3; vgl. auch syr.Apk.Bar.54,5; 21,8; 1 QH 7,27; Mt.11,27; Bell. 3,353 - Aufnahme von Ps.139,11-16 ?). Eine Fülle derartiger Epitheta bietet äth.Hen.84,2f auf: "Herr der ganzen Schöpfung des Himmels, König der Könige und Gott der ganzen Welt...Denn du hast alles geschaffen und regierst es; nichts ist dir zu schwer. Keinerlei Weisheit entgeht dir...du weißt, siehst und hörst alles, und da ist nichts, das dir verborgen wäre, denn du siehst alles".

g) Eine sehr wichtige Rolle spielt der Bezug auf eine <u>souveräne Willensentscheidung Gottes</u> (äth.Hen.37,4; 39,9; 4.Esr.13,57; Mt. 11,26f;Bell.3,354; Qumranschriften passim; vgl. die Betonung des Souveräns in Dan.2,21).

Der Begriff "eudokia" (Mt.11,26) bzw. das Verbum (Bell. 3,354; Lk.12,32) entsprechen dem hebr. "rāṣōn", welches im AT ursprünglich (Gottes) Huld und Gnade, in der späten Zeit jedoch eine willkürliche Entscheidung meinte (Est.1,8; 9,5; Dan.8,4; 11, 3.16.36).

---

1) Dies ist gegen Hoffmann, S.12o, festzuhalten. Hoffmann stützt seine Interpretation von Mt.11,27a, wonach es sich hier um <u>Macht</u>übergabe handele, auf die angebliche Unmöglichkeit, in den semitischen Sprachen eine Vielzahl von Gewußtem durch ein "alles" zusammenzufassen.

Mindestens im Rahmen der josephischen Geschichtskonzeption (siehe dazu S.2off) ist in der Wendung "da es dir gefällt" an den souveränen Willen Gottes gedacht, wie er sich als konkreter, unumstößlicher Geschichtsplan kristallisiert.

Die Lobpreisungen vertreten also eine theozentrische, deterministische Geschichtsauffassung: Gott hat die Abläufe der Geschichte festgelegt. Ihre Wurzel dürfte diese Geschichtsauffassung, wie wir noch deutlicher sehen werden, im Danielbuch haben. Dort ist immer wieder die Rede davon, daß der Höchste die (Welt-) Herrschaft nach seinem souveränen Wollen verleiht (vgl. nur Dan. 4,14.32; 5,21) und daß die Zeiten und Perioden gemäß einem längst beschlossenen Geschichtsplan Gottes bis zum Ende ablaufen müssen (Dan.9,26f; 11,36; vgl. äth.Hen.39,11; 4Esr.13,57[1]).

h) Damit zusammen hängt das <u>Bekenntnis</u> im lobpreisenden Dankgebet, formal oft dadurch gekennzeichnet, daß nicht mehr nur Gott angeredet wird; der Beter wendet sich auch an die Menschen[2]; er erzählt, wie Gott im allgemeinen und an ihm im besonderen gehandelt, welche Funktion er ihm in seinem Heilsplan zugewiesen hat; er stellt sich vor als der, der er nach Gottes Willen ist: als mit dem Charisma der Weisheit Ausgerüsteter, der Einblick in die himmlischen Geheimnisse hat (Dan.2,2o-23; äth.Hen.39,9; 1 QH 7, 26f); als Sohn, der den Vater kennt (Mt.11,27); als Diener Gottes (Bell.3,354).

---

1) Die Determination der Weltgeschichte hebt, darin ist Zimmerli, S.211, recht zu geben, die individuelle Entscheidungsfreiheit nicht auf. Sonst könnten nicht die treuen Märtyrer und die Zur-Einsicht-Kommenden sowie die Durchhaltenden gepriesen (Dan. 11,32f; 12,12) sowie von Versuchung und Läuterung (11,34f) gesprochen werden.
2) Nach einigen Textzeugen hätte Lukas das in Jesu Lobpreis dadurch kenntlich gemacht, daß er zwischen Strophe 1 und 2 (Lk.1o,21/22) ein referierendes "und er wandte sich zu seinen Jüngern und sagte" einschob.

7. Josephus' Gebet in Jotapata vor dem Hintergrund
   von Dan.2,19-23

Wir haben oben Bell.3,353f in die apokalyptischen Lobpreisungen
bzw. Dankgebete eingereiht. Mit welchem Recht? "euchē" (Bell.
3,353) bedeutet ja nicht notwendig ein 'Dankgebet' oder 'Lobpreis', sondern einfach 'Gebet'. Die Introduktion "brachte er
Gott...eine 'euchē' dar" weist das Gebet eher als eine Art Gelüb-
de aus (vgl. Apg.18,18; 21,23).
Dennoch verraten seine zeitliche Einordnung unmittelbar nach der
empfangenen Offenbarung, seine Strukturelemente (siehe oben!)
sowie der Geheimnis-Begriff Bell.3,353, daß Josephus an die apokalyptischen Preisungen der geschilderten Art anknüpft. Wenn
Lobpreis und Dank bei Josephus zurücktreten, so liegt das in der
Natur der Situation von Jotapata begründet. Inhaltlich ist das
Gebet ja gefüllt mit einer Apologie des josephischen Verhaltens,
das man auch schlicht als Verrat bezeichnen konnte: in der Stunde der militärischen Niederlage des jüdischen Heeres entzog sich
sein Feldherr der Verantwortung, indem er zu den Römern über-
lief. Josephus ist es um die Abwehr einer solchen Interpretation
zu tun, um eine Demonstration seiner Unschuld. Dadurch bekommt
das Gebet einen stark argumentativen Charakter. Zudem gebietet
die Rücksicht auf die Gefühle der Judenheit, gerade hier allzu
lauten Lobpreis zu unterdrücken.
Warum aber benützt der Historiker Josephus ausgerechnet die
Form des apokalyptischen Gebets nach einer Offenbarung, um sein
umstrittenes Verhalten zu rechtfertigen? Warum argumentiert er
nicht? Warum bringt er keine Gründe vor? Dazu muß man bedenken,
daß Josephus als Geschichtsschreiber ja an bestimmte literarische Formen und Konventionen der Historiographie gebunden ist und
mithin eine persönliche Apologie in einem dem historischen Be-
richt angemessenen äußeren Gewand vorbringen muß.
Tatsächlich eignete sich die Form des apokalyptischen Gebets-
nach-einer-Offenbarung, mit welchem Begriff wir im folgenden
den Berührungspunkt der apokalyptischen Lobpreisungen mit der
"euchē" von Bell.3,353 treffen wollen, hervorragend für seine

apologetischen Zwecke. Denn ein solches Gebet ist gewissermaßen
die sichtbare Außenseite eines Offenbarungsgeschehens, signalisiert als Spontanreaktion des Betroffenen die Offenbarung (siehe
dazu S. 17).

Aufmerksamkeit verdient die josephische Bemerkung, daß er die
"euchē" Gott "insgeheim" darbrachte.
Dafür gibt es mehrere Interpretationsmöglichkeiten. Die einfach-
ste wäre die, - entsprechend Wredes Messiasgeheimnis - zu unterstellen, Josephus mußte später eine plausible Erklärung dafür ab-
geben, warum von seinem angeblich Offenbarung anzeigenden Gebet
damals niemand etwas mitbekommen hatte.
Möglich scheint auch dies: Josephus hatte in der drängenden
Situation von Jotapata einerseits keine Möglichkeit eines öffentlichen Gebets oder Bekenntnisses, stand aber andererseits unter
dem eminenten inneren Druck, mit einem Gebet der Konvention Genü-
ge tun und die empfangene Offenbarung gleichsam quittieren zu
müssen. Dann wäre das Gebet von Jotapata eine Art Zwangshandlung
gewesen und in diesem Sinne wohl auch 'historisch', und wir hät-
ten einen besonders imposanten Beleg für die Geschichtsmächtigkeit des apokalyptischen Gebets-nach-einer-Offenbarung.

Wie immer man den historischen Vorgang jedoch beurteilen mag -
die Funktion des Gebets im jetzigen literarischen Zusammenhang
scheint klar: Das apokalyptische Gebet-nach-einer-Offenbarung
bietet wie keine andere literarische Form die Möglichkeit, sich
auf den Willen bzw. den Geschichtsplan Gottes zu berufen; auf
ihn bezieht sich traditionell der Beter (4.Esr.13,58; äth.Hen.
37,4; 39,9; Mt.11,26; vgl. Ass.Mos.10,11ff; 12,5.13). Das
"da es dir gefällt" demonstriert die Übereinstimmung des Josephus
mit dem festgelegten Plan Gottes. Dabei ist ein wesentliches Element des Gebets-nach-einer-Offenbarung, das Bekenntnis
(der Sprecher erzählt, wie Gott gehandelt hat), zur Beteuerung
gesteigert: "martyromai".
Kurz: Das Gebet von Jotapata hat die Funktion einer indirekten
Apologie; alle Verantwortung wird so - äußerst geschickt, man
möchte sagen: clever - auf Gott abgeschoben.
Mit Recht schrieb H.Lindner: "Josephus kennt bestimmte Formen
und Ordnungen, in denen sich ein Offenbarungsvorgang abspielt
und die er selber auch ernstnimmt." (S.75) In Bell.3,354 nimmt
er das apokalyptische Dankgebet ernst; in der urtypischen Gestalt von Dan.2,19-23, so vermute ich, hat es ihm vor Augen ge-
standen.

Für die Möglichkeit eines unmittelbaren Bezugs sprechen zunächst
folgende Beobachtungen:

1. Josephus weiß offensichtlich um das besagte Dankgebet Daniels
er erwähnt es ausdrücklich (Ant.1o,2o2) und entnimmt ihm wohl
auch die Notiz von Ant.1o,2oo: "Gott, der ... Daniels Weisheit
bewunderte, machte ihn mit dem Traum und seiner Interpretation
bekannt". (vgl. Bell.3,352f und Dan.2,21b.23)

2. Daniel erfreute sich bei Josephus ganz allgemein außerordent-
licher Wertschätzung.
In Ant.1o,266-269 würdigt Josephus Daniel mit überschwenglichen
Worten als einen Charismatiker, der in besonderer Weise mit Gott
und seinem Geschichtsplan vertraut war ("hōmilei tō theō").

3. Dan.2,21: "Er ist's, der die Zeiten und Fristen wechseln
läßt, der Könige absetzt und einsetzt" scheint die exegetische
Grundstelle der josephischen Geschichtsschau von der Abfolge der
4 Weltreiche zu sein.[1] Verschiedene danielische Weissagungen,
vor allem 9,24-27, sah Josephus im Jüdischen Krieg in Erfüllung
gehen.[2]

Weiter ist auffällig, welchen breiten Raum in Ant.1o,186-281 die
Paraphrase der Danielerzählungen einnimmt und wie aus dem Eintreffen mancher Daniel-Weissagungen das Recht einer deterministi-
schen Geschichtsschau abgeleitet und gegen die sogenannten "Epi-
kuräer" leidenschaftlich verteidigt wird. Diese verwerfen die
"pronoia", den Glauben an einen Gott, der den Kosmos, die Weltgeschichte und die menschlichen Geschicke lenkt. Josephus setzt
mit Nachdruck dagegen die danielische Sicht der Geschichte, die
vom Ewigen Gott in ihrem Ablauf festgelegt und stets gelenkt
sei ("kybernāsthai")[3]. Diese Glaubensüberzeugung, die der Geschichtsschreiber in Ant.1o,277ff mit Berufung auf Daniel
systematisch entfaltet, ist schon in einigen Partien des Bellum
Judaicum zu erkennen (vgl. 3,354; 5,367; 6,249ff; 7,323.327.358).

---

1) Lindner, S.57, mit Verweis auf Bell.3,354; 5,367; Ant.1o,2o6.
   2o9.
2) Bruce, S.151ff
3) Vgl. Dan.9,26f; 11,36.

4. Was nun gerade Bell.3,354 in besonderer Weise mit Dan.2,19-23 verbindet, ist einmal die Tatsache, daß beide Gebete sich auf eine zweistufige Offenbarung beziehen: Josephus wurde "in jener Stunde" die Bedeutung eines früheren Traumes schlagartig evident - Daniel der Sinn des vom babylonischen König geträumten Traums. Zum andern gewinnt der Leser der josephischen Schriften den Eindruck, daß Josephus, ohne es direkt zu sagen, eine Parallele zwischen der Jotapata-Situation und seiner Funktion dort und der Daniel-Figur in der Situation von Dan.2 konstruieren will, um seine Rolle aus dem Anrüchigen auf die Ebene des Von-Gott-Gewollten zu heben: Josephus hat nur wie seinerzeit Daniel den ihm offenbarten (!) Willen und Geschichtsplan Gottes erfüllt. Sieht man nämlich näher hin, so fällt auf, wie Josephus in seiner Daniel-Interpretation Momente heraushebt, die in einer eigentümlichen Entsprechung stehen zur 'Rolle', die er nach seiner eigenen Darstellung in Jotapata übernommen hat: In Ant.1o,2o2 betont er in der Wiedergabe des Dankgebets Dan.2,19-23, wie Daniel Gott dafür dankte, daß "ihn Mitleid erfaßt habe wegen ihrer Jugend". Hier ist die Projektion der ureigenen Gefühle des Josephus auf die ehrwürdige Gestalt der großen Vergangenheit mit Händen zu greifen. Aber damit endet die Parallele noch nicht; sie erstreckt sich bis in die Konsequenz des Offenbarungsempfangs: Josephus, der nach seinem Überlaufen zu den Römern Vespasian nicht als Gefangener, sondern als von Gott beauftragter "Künder großer Ereignisse" begegnet, verheißt diesem, er werde "Kaiser und Alleinherrscher" werden, "Herr über die Erde, das Meer und das ganze Menschengeschlecht". Vespasian zögert anfänglich, diesen Worten eines Mannes aus einem fremden Volk prophetische Qualität beizumessen. Aber die Recherchen ergeben, daß Josephus auch in anderen Fällen zutreffend geweissagt hat, z.B. den genauen Termin der endgültigen Niederlage der Jotapatener. Da fängt Vespasian an, "auch der Weissagung, die seine Person betraf, Glauben zu schenken." (Zitate aus Bell.3,4oo-4o8). In Ant.1o,268 rühmt Josephus an Daniel nun ausgerechnet dies, daß seine Weissagungen genaue Zeitangaben enthalten, daß er - im Unterschied zu den anderen Propheten, die nur Unheil voraussagten und darum mit

ihren Königen verquer lagen - den Königen "Prophet guter Nachrichten" wurde, auf diese Weise das Wohlwollen aller gewann (!)
und infolge des Eintreffens des Vorhergesagten gläubige Hörer
seiner weiter gehenden Prophezeiungen fand und ob seiner göttlichen Kraft gerühmt wurde.
Auch von diesen Analogien her ist die Schlußfolgerung unausweich-
lich, daß Josephus sich im Gebet Bell.3,354 an Daniel orien-
tiert hat, der mindestens in der Wende von Jotapata und den da-
rauffolgenden Ereignissen sein großes Vorbild war.

Das bisher Gesagte erhält nun dadurch noch größeres Gewicht,
daß es sich in Dan.2,19-23 anerkanntermaßen um einen zentralen
Text der Apokalypse, um einen hymnischen Höhepunkt in geprägter
Sprache handelt. Darüber schreibt Koch: "Zur Gattung Apokalypse
gehört anscheinend, daß an bedeutungsvollen Stellen hymnische
Partien in gehobener Sprache eingestreut werden...Der Gebrauch
von poetischen Partien innerhalb prosaischer Erzählungen oder
Schilderungen, um einen Höhepunkt herauszuheben, entspricht ge-
meinsemitischem Gebrauch." (S.81) Daß Dan.2,2o-23 poetisch ab-
zusetzen ist, gilt heute als communis opinio. Der "Gottesnamen-
hymnus"[1] im Munde Daniels enthält tatsächlich eine Art Absichts-
erklärung, das apokalyptische Denksystem in Zusammenfassung, in
komprimierter Form sowohl die Gotteslehre (Gott als Schöpfer,
Geschichtslenker und Offenbarer) als auch die besondere Geschichtsauffassung als auch den Glauben an eine besondere Offenbarung. So könnte man von repräsentativer Apokalyptik sprechen.

Die Vermutung legt sich nahe, daß ein Theologe im ersten Jahrhundert nach der Zeitenwende, der in irgendeiner Weise zum apokalyptischen Glauben Stellung nimmt, zustimmend oder widerspre-
chend, das solchermaßen herausragende typische Produkt der danielischen Apokalyptik kaum übersehen kann und wohl auch nicht
übergehen wird.

---

1) Koch, S.82

8. Jesu Lobpreis nach dem Muster von Dan.2,19-23

Kehren wir nun zum lobpreisenden Dankgebet Jesu (Mt.11,25-27par.)
zurück, so erhärtet sich die Vermutung einer unmittelbaren Bezugnahme auf Dan.2,19-23 bereits durch den formalen Vergleich. Ohne
daß wir pressen müssen, entdecken wir in Dan.2,19-23 dieselbe
poetische Struktur: Der Lobpreis Gottes (V.2ob) wird in V.23a
wieder aufgenommen; er schließt ein den Grund des Preises: V.2ob-
22. Das ist haargenau derselbe A-B-B-A-Aufbau wie in Mt.11,25f.
Doch geht die Entsprechung noch weiter: In beiden Lobpreisungen
bekennt sich ein Offenbarungsmittler in einer ersten Strophe allgemein zu gewissen Bedingungen von Offenbarung, abgesehen von
der eigenen Person, um im zweiten Schritt (Strophe 2) konkret
die eigene Funktion als Mittler-Person auszusprechen und schlußendlich anzudeuten, daß die so vermittelte Offenbarung einen wie
immer zu bestimmenden Kreis von Empfängern erreichen soll.
Aber auch die charakteristischen Vokabeln eines apokalyptischen
Lobpreises (preisen, offenbaren, verbergen bzw. das Verborgene,
[über]geben, [er]kennen, die Weisen und Verständigen) kommen
sowohl in Dan.2,19-23 als auch in Mt.11,25-27par. in derselben
Funktion vor; sogar die auffällige Einleitung mit 2 einander verstärkenden Verben des Sagens verbindet Mt.11,25a mit
Dan.2,2oa.

Sie findet ihre Erklärung nicht nur im feierlichen Gewicht des
Vorgangs, sondern auch in der Grundbedeutung des hebr./aram.
"ᶜnh" (griech. "apokrinesthai") = "reagieren"[1]; dieses kann
nicht nur auf Gehörtes, sondern auch - wie hier - auf Gesehenes
bezogen werden. Es bezeichnet sowohl in der Einleitung des
danielischen als auch in der Einleitung des jesuanischen Lobpreises den Moment der spontanen Reaktion aus der Betroffenheit
heraus.[2]

---

1) THAT II 335ff (C.J. Labuschagne)
2) Einen erweiterten Sinn von "ᶜnh" für den vorliegenden Zusammenhang möchte ich wenigstens zu bedenken geben. Das Verb hat
   in der Rechtssprache des AT.s die Bedeutung angenommen: [auf-
   grund einer wahrgenommenen Situation] Zeuge sein [vor Gericht].
   Vgl. THAT II 339. Signalisiert die Verwendung der Vokabel im
   apokalyptischen Lobpreis, daß Offenbarung "bezeugt" wird?

Man mag erwägen, ob nicht auch der Vater-Ruf, Jesu 'Name' für
Gott, den Vollzug von Daniels "Gepriesen sei der Name Gottes"
(2,2o) bedeutet, was zusätzlich erklären würde, warum Jesus
hier die traditionelle Schöpferprädikation erweitert zu einer un-
gewöhnlich langen Anrede.
Die genauen Berührungspunkte der beiden Dankgebete sind im übrigen in den Anmerkungen a.c-r zu Dan.2,19-23 (S.15) aufgelistet.

Unsere Beobachtungen ermöglichen uns ein tieferes und präziseres
Verstehen von Mt.11,25-27 par. Bevor wir das weiter darstellen,
seien hier in Kürze wesentliche Ansätze der exegetischen Forschung in den vergangenen Jahrzehnten referiert. Die fünf Untersuchungen, auf die ich im folgenden eingehe, repräsentieren in
etwa die von den Exegeten bisher beschrittenen Wege.

a) Auf Jahre richtunggebend blieb der Interpretationsversuch von
   E.Norden 1913. Er meinte in Sir.51 und Mt.11,25-3o ein Schema
   mystisch-theosophischer Literatur des Orients wiederzuerkennen
   und erklärte Mt.11,25-3o aus seinen vermeintlich helle-
   nistisch-gnostischen Voraussetzungen. Insofern er dabei Mt.11,
   25-3o als ursprüngliche Einheit behandelte, hat er kaum Nach-
   folger gefunden; doch blieb seine religionsgeschichtliche Einordnung hinsichtlich V.27 bis auf den heutigen Tag beherrschend
   nach wie vor leitet eine Mehrheit der Forscher dieses Logion
   aus hellenistisch-orientalischer Religiosität bzw. aus der
   Gnosis ab, ein weiter Umweg, der nach dem von uns schon Aufge-
   zeigten völlig unnötig erscheint.

b) Bultmann zerlegt in seiner "Geschichte der synoptischen Tra-
   dition" Mt.11,25-3o in 3 ursprünglich isolierte Einzellogien
   V.25f / V.27 / V.28-3o.
   V.28-3o sei ein in den Mund gelegtes Wort aus einer jü-
   dischen Weisheitsschrift (verwandt mit Sir.51,23ff; 24,19ff;
   Spr.1,2off);
   V.27 ein "hellenistisches Offenbarungswort" des Auferstandenen;
   V.25f ein ursprünglich aramäisches Logion, entweder Jesuswort
   oder aus einer jüdischen Schrift übernommen.
   Es erstaunt, daß ausgerechnet Bultmann, einem der Väter der
   formgeschichtlichen Betrachtungsweise, die Formbestimmung to-
   tal mißlingt, statt auf die rechte Spur zu helfen. "Ich-Worte"

1) Damit wurde für Jahrzehnte vernebelt, daß das lobpreisende
"exhomologoumai", das Sir.51 und Mt.11,25 in der Tat verbindet,
auf die zahlreich belegte Todā des atl. Psalters zurückgeht,
die aber in der Weisheit Israels und in der Apokalyptik Daniels
je verschieden eingebracht ist. In Sir.51 hat sie wie im Psalter Rettungserfahrung, in Dan.2 und Mt.11,25ff Offenbarungs-
empfang zum Gegenstand.

ist alles, was Bultmann diesbezüglich zu Mt.11,25f/27/
28-3o zu sagen hat. (S.171f)

c) Den weitestgehenden Versuch, Mt.11,25-3o von Voraussetzungen
der atl.-jüdischen Weisheit zu erklären, hat F.Christ (Jesus
Sophia) vorgelegt. Jesus trete bei den Synoptikern als Sprecher
und Träger der Weisheit, darüber hinaus aber auch als Weisheit
selbst auf. Dabei sei es möglich, daß schon Jesus selbst sich
als Sophia verstand. Im übrigen sei die Sophia-Christologie in
"judenchristlich-gnostisierenden Kreisen in Palästina" ent-
standen, wie sie uns etwa in den korinthischen und kolossi-
schen Gegnern des Paulus entgegentreten.
Einer der 5 Hauptbelege für diese Konzeption ist Mt.11,25-3o!
Und wie schon bei Norden, ist es von Christ als Ganzheit ausgelegt. Nicht von ungefähr, denn die eigentlich weisheitlichen
Elemente finden sich in der Tat erst in V.28-3o!
Mag es hier dahingestellt bleiben, ob Jesus in der Spruchquelle tatsächlich irgendwo mit der 'Weisheit' identifiziert ist
- Mt.11,25-27, mit eindeutig apokalyptischem Vokabular, entzieht sich der Vereinnahmung in diese Konzeption. Zwar gelingt
es Christ, zu beinahe jeder Vokabel des Logions irgend eine
Aussage jüdischer Weisheit parallel zu stellen, sei es in der
Sache, sei es in der Sprache. Aber das Zusammensuchen verschie-
dener Elemente jüdischer Weisheit zur Erklärung von Mt.11,25-
27 wird in dem Moment belanglos, da es gelingt, Mt.11,25-27
als Ganzes vor einem scharf konturierten Hintergrund präzise
zu verstehen.
Als dieser scharf umgrenzte Hintergrund hat sich uns der apokalyptische Lobpreis Dan.2,19-23 gezeigt; in ihm sind alle
wesentlichen Strukturelemente von Mt.11,25ff versammelt.

d) P.Hoffmanns stark differenzierende Exegese wurde schon mehr-
mals erwähnt (S.5f.9.18). Sie besticht durch die umfangreiche
Materialsammlung und -sichtung, eine ziemlich umfassende Erör-
terung der bis 197o erschienenen Forschungsbeiträge zum Thema,
und sie verrät, anders als die oben genannten Untersuchungen
ein Gespür für die apokalyptische Sprache von Mt.11,25ff.
Unbefriedigend bleibt das ausgesprochene Desinteresse an der
Frage, ob und in welchem Sinne Mt.11,25ff seine Entstehung in
der Geschichte Jesu hat, und die unnötige Annahme einer stufen-
weisen, komplizierten Entstehung des Stückes.

e) Wie ich leider erst nach Abschluß der eigenen Untersuchungen
feststellen konnte, war Cerfaux der hier gegebenen Deutung von
Mt.11,25-27 am nächsten. Er behauptete schon 1955 eine direkte
Abhängigkeit des Logions von Dan.2. (S.146ff) Die sprachliche
Nähe zu diesem Kapitel der Apokalyptik ist hier gesehen und
überzeugt mehr noch als die Parallelen, die Sjöberg und Davies
aus dem äth.Henoch und aus den Qumranschriften beigebracht
haben.
Freilich entbehrt auch Cerfauxs Exegese der Schärfe. Nicht
Dan.2 insgesamt ist das Gegenüber zu Mt.11,25ff, sondern exakt
Dan.2,19-23. Der Vergleich des jesuanischen Lobpreises muß
präzise - formkritisch, nicht bloß vokabelstatistisch - mit

dem entsprechenden Lobpreis Daniels erfolgen. Aus dieser völligen Konformität ergibt sich die Unmöglichkeit, Mt.11,25ff als Daniel und dem Danielbuch treu ergebene und verpflichtete Lobpreisung zu bestimmen. Die von Jesus so freundlich gesehenen "nēpioi" - darin hat Hoffmann, S.115, gegen Cerfaux recht - stehen eben mit dem "neaniskos" Daniel in keinem geistesgeschichtlichen Kontinuum. Denn Daniel wird uns im Lobpreis 2,19- 23 und sonst als <u>Weiser</u> par excellence vorgestellt,[1] so sehr er mit den babylonischen Weisen konkurrieren mag; ganz gewiß ist er in den "Weisen und Experten" von Mt.11,25f einbegriffen. Jesus müßte, folgte man Cerfaux, an die babylonischen Wahrsager gedacht haben, wenn er davon sprach, daß der Vater "dies den Weisen und Experten verborgen hat" - eine ganz schwierige Vorstellung: was gehen ihn diese längst erledigten Wahrsager der Vergangenheit und eines fernen Volkes an! Zu tun hat es Jesus aber mit den zu seiner Zeit einflußreichen Schriften der jüdisch-apokalyptischen Visionäre und ihrer Anhänger. Sie sind für Jesus die "Weisen und Experten".

Damit haben wir den entscheidenden Punkt erreicht.

---

1) Dan.1,17,

     Und Gott verlieh diesen vier jungen Leuten
     Wissen und Verständnis in jeder Art Schrifttum und
     Weisheit;
     Daniel verstand sich auch auf Visionen und Träume
     aller Art. ,

berichtet, wie Daniel zum Weisen promoviert. Erst als solcher und nach der Ausrüstung mit Weisheit durch Gott ist er befähigt zum Offenbarungsmittler. Die "nēpioi" von Mt.11,25f werden eben gerade nicht in den Stand der Weisen gehoben!

9. Jesu Protest

U.Wilckens resümiert im Art. "sophia", ThWNT VII 517, die vergeb-
lichen Versuche, Mt.11,25f 'religionsgeschichtlich' zu erklären,
mit folgendem, die Forschungssituation beleuchtenden Satz: "Die
Möglichkeit einer aram Urform ist nicht von der Hand zu weisen;
doch fehlen in der jüdischen apokalyptischen Literatur Belege, in
denen von einer Verbergung apokalyptischer Offenbarung vor Weisen
und Einsichtigen die Rede wäre. Vielmehr sind dort gerade die
'Weisen' die Wissenden, denen Offenbarung zuteil wird!"
Dies gilt eben auch und ohne Einschränkung für den Lobpreis Dan.
2,19-23, so zweifelsfrei er Mt.11,25-27par. als Muster gedient
hat! Insofern unterscheidet sich der Lobpreis Mt.11,25-27 grund-
legend von allen anderen apokalyptischen, auf Dan.2,19-23 Bezug
nehmenden Lobpreisungen, als er das 'traditionelle' Lob auf den
Stand der Weisen und Experten nicht mitvollzieht - im Gegenteil!
 Der Besonderheit des Lobpreises Jesu kommen wir auf die Spur,
wenn wir seine polemische Spitze in Mt.11,25c.d und ihre Stoßrichtung wahrnehmen. Man meint, die freudige Erregung herauszuhören, wenn Jesus das Nichtwissen der Weisen und Experten und
das Offenbarung-Bekommen der Toren als Grund des Lobpreises nennt.
Das hat in der Bibelauslegung dem Dank- und Preisgebet Jesu denn
auch den Titel 'Jubelruf' eingebracht.
Die in ihm mitschwingende Aggression richtet sich wohl vor allem
gegen Daniel, der seinen Gott dafür pries, daß er "Weisheit den
Weisen und Wissen den Verständigen gibt." (Dan.2,21) Dieses 'ka-
pitalistische' Prinzip führte in der Apokalyptik im Gefolge Daniels zwangsläufig zu einer extremen Auseinanderdividierung von
weisen Experten und hoffnungslos Dummen. In der Konsequenz von
Dan.2,21 mußte, wenn es Schule machte, ein 'geistliches Proleta-
riat' entstehen.

Auch über die Apokalyptik hinaus ist Dan.2,21 im Judentum in diesem 'kapitalistischen' Sinn begriffen und verwendet worden. Man
vergleiche etwa die Funktion von Dan.2,21 in Mek.15,1 (Lauterbach II, S.9, Z.119) oder, besonders illustrativ,in Midr.Qoh.1,7:
"Eine Matrone fragte den R.Jose b.Chalaphata...Was bedeutet: 'Er
gibt Weisheit den Weisen und Wissen den Einsichtigen'? (Dan.2,21)
Hätte die Schrift nicht sagen sollen: Er gibt Weisheit den

Nichtweisen und Wissen den Nichteinsichtigen? Er antwortete:
Ein Gleichnis: Wenn zu dir zwei Menschen kommen, um von dir
Geld zu borgen, einer ist reich und der andere ist arm, wem von
ihnen leihst du, dem Reichen oder dem Armen? Sie sprach: dem
Reichen. Er sprach: Warum? Sie antwortete:...Wenn der Arme sein
Geld verliert, wovon soll er mir zahlen? Und er sprach zu ihr:
...Wenn Gott Weisheit den Toren gäbe, so würden sie sitzen und
davon sprechen in den Aborten und Theatern und Badeanstalten[1];
allein Gott hat Weisheit den Weisen gegeben, und diese sitzen
und sprechen davon in den Synagogen und Lehrhäusern."[2]

Klar und durchsichtig, läßt dieser rabbinische Text auf die ihm
zugrunde liegende Denkweise durchblicken. Ihre Dominanz ließe
sich gewiß ebenso in anderen Kulturen und Religionen der antiken
Welt nachweisen, man denke nur an die Gnosis.
Der wie ein erratischer Block in der Landschaft liegende Widerspruch Jesu trifft letztlich eine weit verbreitete religiöse
Überzeugung, ja Weltanschauung.

Innerhalb des apokalyptischen Schrifttums wird eine erste Stufe
der bedenklichen Entwicklung z.B. im feierlichen Schluß des
4. Esrabuches sichtbar:

> Als aber die 4o Tage voll waren, da sprach der Höchste
> zu mir also:
> Die 24 Bücher [sc.: des atl. Kanons]..sollst du veröffent-
> lichen, den Würdigen und Unwürdigen zum Lesen;
> die letzten 7o [sc.: die apokalyptischen Geheimschriften!]
> aber sollst du zurückhalten und nur den Weisen deines
> Volkes [sc.: den apokalyptischen Spezialwissenschaftlern!]
> übergeben.
>   Denn in ihnen fließt der Born der Einsicht,
>   der Quell der Weisheit,
>   der Strom der Wissenschaft!   - 4.Esr.14,45-47

Die Perlen der Weisheit den Weisen! Die eigentlich heilsnotwendigen Schriften, z.Z. der Veröffentlichung von 4.Esra in einer erdrückenden Mehrheit gegenüber den öffentlich-biblischen,
wurden über geheime Kanäle aus der sakrosankten Vergangenheit
in die Gegenwart geleitet, gingen aus der Hand der würdigen Weisen in die Hand der Weisen und werden gegenwärtig von den Weisen
und Spezialwissenschaftlern verwaltet: vorgelegt und ausgelegt
- so die Fiktion der Verfasser und Lehrer dieser und anderer

---

1) Man wird an die "Perlen vor die Säue" erinnert! Vgl. Mt.7,6.
2) Vgl. Lk.7,4off.

apokalyptischer Schriften. (Siehe dazu ausführlich Kap.I 12)
Sie führt in letzter Konsequenz in tiefe innere Nöte, erzeugt
ein Klima der Unsicherheit und Angst. Denn den apokalyptischer
Wissenschaft selber Unkundigen, den "nēpioi", verhieß einzig
und allein die totale geistige Unterwerfung unter die Lehren
der 'Weisen' einen Ausweg aus der mit grellen Farben gemalten
apokalyptischen Hölle[1].

Im Lobpreis Jesu nun spiegelt sich seine leidenschaftliche Gegnerschaft gegen die verbreitete Grundüberzeugung, daß es ein
nur 'weisen und verständigen' apokalyptischen Experten auf dem
Weg der Offenbarung zugänglich gemachtes Geheimwissen gebe.
Jesus protestiert emphatisch gegen die Zwei-Klassen-Bildung von
durch Gott ausgezeichneten, charismatischen Sehern und Experten
einerseits und einfachen, unwissenden Menschen andererseits, die
nur über das Studium der apokalyptischen Schriften bzw. durch
Hören auf ihre kompetenten Ausleger etwas über ihre wahre Situation und Zeit erfahren können.
Jesus protestiert, indem er provozierend genau das Gegenteil
als Wirklichkeit behauptet: den Toren wird es offenbart, den Weisen verborgen! Jesus sprengt das System der Apokalyptik an ihrer
Wurzel, indem er den Weisen und ihrem Geheimwissen radikal den
Respekt entzieht und damit allen zu seiner Zeit existierenden
apokalyptischen Geheimschriften jeglichen Heiligenschein wegreißt.
Bedeutsam ist auch die Form, in welcher sich der Widerspruch
Jesu gegen das apokalyptische Offenbarungssystem erhebt.
1. Insofern er sich als Lobpreis nach dem Muster von Dan.2,19-23
artikuliert, ist angezeigt, daß der Widerspruch nicht rationaler
Schriftgelehrsamkeit, geschweige denn menschlicher Willkür ent-
sprang, sondern einem eigenen, tiefen Offenbarungserlebnis.
2. Jesus trifft auf diese Weise das Offenbarungssystem der Apokalyptik exakt dort, wo es sich am massivsten und konzentrier-
testen darbietet. Genauer und wirkungsvoller zielen hätte er
nicht können.

---

1) Vgl. nur äth.Hen.52,7; 53,3f; 91,9; 98,12; 1o8,14-15; 4.Esr.
   7,7-9; 8,36-38; 7,8off.
   Siehe auch Kap.I 12.

1o. Kritik an der apokalyptischen Esoterik

Jeder unbefangene Bibelleser, der Dan.2,19-23 und Mt.11,25-27
in unmittelbarer Folge auf sich wirken läßt, kann diese Schluß-
folgerungen nachvollziehen, ohne Zuhilfenahme besonderer bibel-
wissenschaftlicher Methoden. Um aber die These auf eine breitere
Basis zu stellen, sei an ein weiteres Jesuswort, Mt.1o,26f/ Lk.
12,2f/ Mk.4,22, erinnert, das seinen Ort m.E. genau in dieser
Auseinandersetzung mit der traditionellen Apokalyptik hat. (Die
drei synoptischen Evangelien haben es ihren ganz verschiedenen
Aussageabsichten dienstbar gemacht. Da der literarische Kontext
jeweils deutlich sekundär ist[1], kann er außer Betracht bleiben,
wenn wir im folgenden nach dem ursprünglichen Sinn des Logions
fragen.)

In Mt.1o,26f, um von dieser Version auszugehen[2], kehrt das Vokabular der danielischen Apokalyptik, speziell von Dan.2,19-23:
Verborgenes, offenbaren, erkennen, im Dunkeln/ im Licht fast
komplett wieder, freilich in anderem Sinnzusammenhang, zu einer
neuen Aussage verwoben:

26 Nichts ist verhüllt, was nicht offenbart werden wird,
   und nichts ist verborgen, was nicht erkannt werden wird.
27 Was ich euch im Dunkeln sage, das saget im Licht,
   und was ihr ins Ohr hört, das predigt auf den Dächern!

Der kunstvolle, in 2 mal 2 Parallelismen gebaute Vierzeiler
schwingt in jeder Zeile vom Dunklen zum Hellen (verhüllt ──>
offenbart; verborgen ──> erkannt; im Dunkeln ─────> im Licht;
ins Ohr ─────> auf den Dächern); der zweite Parallelismus, syn-
thetischer Art, ergänzt die visuelle Ebene (V.27a) durch die
akustische (V.27b), beschreibt also einen 'ganzheitlichen'
Vorgang in der Weise der hebräischen Poesie.

---

1) Vgl. übereinstimmend die Kommentare zu Mt.1o,26ff; Lk.12,
   2ff und Mk.4,22. Riesner, mit literarkritischen Operationen
   gewiß vorsichtig, isoliert sogar Mt.1o,26/Lk.12,2 gegen
   Mt.1o,27f/ Lk.12,3 (S.464-67).
2) Vgl. die Q-Parallele Lk.12,2f, die durch ihre Finalität bestimmte Mk-Version 4,22, Thom.Ev.Nr.5 und die interessante
   Fassung POxy.654 Nr.4: "Erkenne das, was vor deinem Angesicht
   ist. Und was vor dir verborgen ist, wird sich dir enthüllen.
   Denn nichts ist verborgen, was nicht offenbar werden wird,
   und nichts begraben, was nicht auferweckt werden wird."

Für sich genommen, könnte V.26 die prägnante Fassung einer Glaubensüberzeugung sein, wie sie sich etwa in Ps.139,1-5.11f spiegelt und gerade auch in der Apokalyptik, eschatologisch zuge-
spitzt, belegt ist:

> Denn der Höchste läßt sicherlich seine Zeiten eilends herbei-
> kommen und führt sicherlich seine Perioden herbei;
> und sicherlich wird er die richten, die in seiner Welt sind,
> und wird wahrhaftig alles heimsuchen, auf Grund aller ihrer
> Handlungen, die im Geheimen geschehen.
> Und sicherlich wird er erforschen die verborgenen Gedanken
> und alles, was im Innersten aller Glieder der Menschen drin-
> liegt; und er bringt es öffentlich vor jedermann mit scharfem
> Tadel an den Tag.
> Deshalb soll nicht eines von diesen jetzt bestehenden Dingen
> euch beschäftigen, sondern wir wollen vielmehr ruhig harren,
> weil das, was uns verheißen ist, herbeikommt.
> -syr.Apk.Bar.83,1-4

Doch legt V.27 den Vers 26 auf einen engeren, präzisen Sinn
fest. Hier scheint es doch um Verkündigung, Verkündiger und Ver-
kündigungsstile zu gehen. Aus den Relativsätzchen V.27a möchte
man - gegen die sonstige Überlieferung![1] - herauslesen, daß Jesus seine Jünger, mindestens teilweise oder zeitweise, im Geheimen gelehrt oder apokalyptische Geheimnisse übergeben hat. Aus
welchen Gründen auch immer hätte er eine Geheimhaltung seiner
Basileia-Predigt als das Gebot der Stunde erachtet.

Daß unter dem Druck der politischen Verhältnisse Offenbarung,
Geschichte und Endzeit betreffend, bis zur Zeit einer späteren
Veröffentlichung streng vertraulich behandelt, ja 'verwahrt'
werden mußte, deutet schon die Danielapokalypse an (8,26; 12,4).
Doch ist es vorstellbar, daß Jesus, Freudenbote(!)[2], zeitweilig
die Rolle eines apokalyptischen Geheimnisträgers angenommen hat?[3]
Jedenfalls stimmt der imperativische Teil des dialektischen
Sätzchens V.27 weit eher mit dem überein, was wir sonst von Je-
sus wissen. In seiner Weisung drängt Jesus ja auf das Ende der
esoterischen Behandlung etwaigen Wissens um die Königsherrschaft

---

1) z.B. Mk.1,38f; 3,13; 4,1; Lk.4,43; 6,17; 13,26f; Joh.18,19f.
   Vgl. Riesner, S.353ff.
2) Vgl. nur Mk.1,1.14f; Lk.4,16-22; 6,2off.
3) Dies ist allerdings die Meinung von Riesner, S.476ff.
   Zur Frage des Entstehungsortes der dafür aufzubietenden Logien siehe S.48ff.

Gottes; es soll nicht in geheimen Zirkeln weitergereicht werden,
sondern ans Licht; keiner darf von der Frohbotschaft ausgeschlossen sein, und die Hörer Jesu (seine Jünger?) seien selber Herolde

Dieses ist eindeutig die Stoßrichtung des Spruches, der seine
Dynamik aus dem Gefälle vom Ausgangspunkt der 'geheimen Überlieferung' zur 'öffentlichen Proklamation' gewinnt :

Apokalyptische Verkündigung, das Weitergeben der himmlischen Geheimnisse hinter vorgehaltener Hand, ist abzulösen durch einen
völlig andersartigen Verkündigungsstil: ein lautes Hinausrufen
nach der Art der Freudenboten Deuterojesajas: "Steig auf einen
hohen Berg, Zion, du Botin der Freude! Erheb deine Stimme mit
Macht!" (Jes.4o,9; vgl. 4o,3; 52,7)

Der Berg, von dem Jesus die Seligpreisungen ausruft, sowie die
Dächer des hier erörterten Spruches sind beide 'Kanzeln' der für
die weite Öffentlichkeit bestimmten hellen Freudenbotschaft.
"Die Dächer [sc.: palästinische Flachdächer] kommen als die höchsten, den Ton weithin tragenden Standörter in Betracht" (Grundmann, S.253); sie stehen in Jes.15,3 neben den öffentlichen
Plätzen, in gleicher Funktion.

Das Jesus offenbarte Wissen soll jedenfalls nicht im Dunkeln gehandelt werden, sondern ist laut, frei, im Licht der Öffentlichkeit auszurufen.

Nun liegt uns in Lk.12,2f eine Version des Q-Logions vor, die
eine eigene Auslegung verdient - Riesner hält sie nicht ohne
Gründe für insgesamt ursprünglicher[1]:

> 2 Nichts ist verhüllt, das nicht offenbart wird,
>   und nichts ist verborgen, das nicht erkannt wird.
> 3 Deshalb wird man alles, was ihr im Dunkeln redet,
>   im Licht hören,
>   und was ihr einander in den Kammern ins Ohr flüstert,
>   wird man auf den Dächern verkünden.

---

1) S.464ff. Wenn Riesner freilich aus metrischen Gründen "in den
   Kammern" Lk.12,3 als sekundär streichen will, so übersieht er
   m.E. die schöne Antithetik Kammer - Dächer.

Die gleiche vierfach entfaltete Dialektik sowohl in Mt.1o,26f
als auch in Lk.12,2f beweist, daß beide Stellen uns ein und dasselbe Jesuswort überliefern. Aber wie verschieden sind sie in ihrem Sinngehalt geraten! Und zwar klaffen sie gerade an dem Punkt
auseinander, wo es uns nicht recht gelingen wollte, Mt.1o,27 in
das Gesamtbild der Jesusverkündigung einzufügen. Sollte Jesus
wirklich, das blieb ja die ungeklärte Frage, sich selbst als
einen apokalyptischen Geheimnisträger gewußt haben, der im Augenblick nur so im Dienste der Offenbarung wirken kann, daß er diese
geheimhält, bei sich und seinen Vertrautesten aufbewahrt für eine spätere Stunde? Sollte Jesus tatsächlich gemeint haben, die
Stunde der lauten und hellen Freudenbotschaft werde erst noch
(nach seinem Tod?) kommen? Dagegen stehen viele andere eindeuti-
ge Belege! Man müßte dann mit Riesner, Bornhäuser, Schürmann, J.
Jeremias eine esoterische Jüngerunterweisung nach einer 'galiläischen Krise' voraussetzen und annehmen, "daß Jesus ankündigte,
daß die Lehren, die er gegenwärtig nur esoterisch im engsten Jün-
gerkreis weitergeben kann, von Gott in Zukunft vor aller Öffentlichkeit bekannt gemacht werden."[1]
Freilich sperrt sich gerade Lk.12,2f gegen eine Integration in
diese Sicht, denn es sagt ja über eine Rolle Jesu gar nichts.
Das "ihr" von V.3 (die Jünger? gerade Zuhörende?) läßt vielmehr
eine deutliche Distanz Jesu zu solchen spüren, deren Art es ist,
apokalyptische Lehren hinter vorgehaltener Hand zu übergeben.
Der Spruch setzt voraus, daß es in seiner Entstehungszeit nicht
nur aller Öffentlichkeit schon bekannte apokalyptische Schriften
gibt, sondern auch noch nicht öffentlichkeitsfähige, deren Inhalte nur durch Flüsterpropaganda weitergegeben werden können. Man
wird ins mündliche Stadium einer später erst schriftlich gefaßten
Apokalypse geführt. Die Hörerschaft Jesu könnte Berührung gehabt
haben mit esoterischen Kreisen, in denen apokalyptische Geheimnisse geboren und gepflegt und heimlich tradiert wurden, ehe es -
später - zu einer Verschriftlichung kam.
Man meint nun den kritischen Unterton in Lk.12,2f herauszuhören
- das Flüstern im Dunkeln sollte nicht sein, wo doch, wird Gott

---

1) Riesner, S.467; vgl. Hoffmann, S.132.

selbst (passivum divinum?) damit Schluß machen, für die Aufdek-
kung sorgen. M.E. ist hier die u.a. in Ps.139,1-5.11f gespiegelt
Glaubensüberzeugung, daß vor Gott nichts verborgen bleiben kann,
ins Eschatologische gewendet: Es wird alles an den (jüngsten)
Tag kommen (vgl. syr.Apk.Bar.83,1-4).
Das Logion nimmt in V.2 eine Erfahrungsregel auf, nähert sich
aber in V.3 ("darum") formal einer prophetischen Gerichtsankündi
gung. Allem esoterischen Getuschel wird die Vergeblichkeit bescheinigt und das Ende angesagt.
In dieser Form beinhaltet der Spruch eine radikale Kritik der
Apokalyptik.

Auf ihre Weise leistet dies auch die Nikodemus-Episode (Joh.3,
1-13). Nikodemus sucht Jesus "bei Nacht" auf (V.2) und möchte
Auskunft über "himmlische Dinge" (V.12) bzw. Fragen des "Reiches
Gottes" (V.3.5). Jesus gibt eine ablehnende Antwort (V.12) und
beschließt das Gespräch mit einem Spruch, der in der sprachlichen Struktur und auch inhaltlich in großer Nähe zu Mt.11,27b.c
steht:

> Niemand ist in den Himmel hinaufgestiegen außer dem,
> der vom Himmel herabgestiegen ist, der Menschensohn.-V.13[1]

Eine weitere Notiz des Johannes scheint Jesu nicht-apokalypti-
sche Verkündigungsweise zu bestätigen. Sie findet sich im Pas-
sionsbericht, Kap.18,19-2o:

> Der Hohepriester befragte Jesus über seine Jünger und
> über seine Lehre.
> Jesus antwortete ihm: Ich habe offen vor aller Welt ge-
> sprochen. Ich habe immer in der Synagoge und im Tempel
> gelehrt, wo alle Juden zusammenkommen. Nichts habe ich im
> Geheimen gesprochen... (vgl. Jes.45,19)

An diesem Punkt ergibt sich eine auffallende Übereinstimmung Jesu wie mit dem Hohenpriester, dem Vertreter des damaligen offi-
ziellen Judentums, so mit der später ausgeführten, aber vielleicht schon z.Z. Jesu geltenden rabbinischen Lehre. Die Rabbine

---

1) Vgl.die Auslegung von Kim, S.82-86.

haben unter Bezugnahme auf Jes.45,19 "Ich redete nicht im Verborgenen" hervorgehoben, daß "die Tora öffentlich, offen an einem
freien Platz gegeben wurde" und keineswegs "in der Nacht...,
nicht in einer finsteren Gegend , nicht an einem geheimen
Ort, nicht an einem obskuren Ort" (Mek.19,1-2; Lauterbach II , S.
198f, Z.8o-1o7). So hatte jedermann Gelegenheit, Stellung zu beziehen, und für keinen, der die Annahme der Tora verweigerte, gab
es später eine Entschuldigung.
M.E. spiegelt Joh.18,2o etwas Historisches: Jesus hat "nichts im
Geheimen gesprochen", sondern an traditionell öffentlichen Stät-
ten: im Tempel, in der Synagoge und - so möchte man ergänzen -
auf freien Plätzen gelehrt und verkündigt (siehe S. 33 Anm. 1.2).

11. Kritik der Endzeitberechnung

Gewiß bestreitet Jesus Daniel und seinen Epigonen mit der
Faktizität des Offenbarungsgeschehens auch den Inhalt ihrer
Enthüllungen. Gott hat den apokalyptischen Weisen den Gegenstand
ihrer Anstrengung ("dies") verborgen.
Wir gehen hier einen Schritt weiter und suchen möglichst prä-
zise diesen Gegenstand der apokalyptischen Bemühung zu erfassen.

Wieder hilft uns ein Umweg über Josephus. Er legt in Ant.1o
eine Beurteilung des Danielbuches vor, die deutlich nicht seine Privatmeinung darstellt, sondern die Überzeugung weiter Teile
des Judentums spiegelt. Danach gilt Daniel als einer der größten
Propheten, der den Ablauf der - von Josephus aus gesehen - zurückliegenden, aber auch der noch ausstehenden, einschließlich
der letzten Geschichte dank seiner besonderen Beziehung zu Gott
exakt vorausgesagt hat. Die schon eingetroffenen Weissagungen
machen ihn hinsichtlich der noch nicht erfüllten besonders
glaubwürdig (Ant.1o,21o.266-269).[1] Die aufschlußreichste Pas-
sage enthält Ant.1o,267: "Die Bücher nämlich, die er [Daniel]
schrieb und hinterließ, können bei uns auch jetzt noch gelesen
werden, und wir sind durch sie zum Glauben gekommen, daß Daniel
mit Gott verkehrte. Denn er pflegte nicht nur wie die anderen
Propheten die zukünftigen Dinge zu prophezeien, sondern er bestimmte auch exakt die Zeit, in welcher diese geschehen werden."
Da haben wir also eine Anschauung vor uns, die in Daniel einen
Weisen sieht, der den von Gott festgelegten Fahrplan der Weltgeschichte mit den wichtigsten Stationen und - vor allem -
Zeiten genauestens kennt. Diese Anschauung entspricht gewiß dem
Anspruch des Danielbuches.
Die danielischen und nachdanielischen Visionen beziehen sich
auf die "Zeit des Endes"[2], auf den genauen Termin der Königsherr-
schaft Gottes. Fristenangaben[3], Anspielungen auf aktuelle

---

1) Diese Würdigung durch Josephus entspricht haargenau dem literarischen Strickmuster der Apokalyptiker, die - mittels des
Pseudonyms - der 'echten' Zukunftsschau die fingierte Weissagung der von ihnen aus gesehen zurückliegenden Geschichte

Geschichte und der Bezug auf prophetische Verheißungen ermöglichen dem apokalyptisch geschulten Leser, die Tage bis zum Ende
der Welt zu zählen.
Offensichtlich polemisiert Jesus gegen die Anmaßung solchen
Wissens gezielt:

> Jenen Tag und die Stunde weiß keiner,
> auch nicht die Engel im Himmel,
> auch nicht der Sohn,
> sondern nur der Vater.   - Mk.13,32[1]

Daß Mk.13,32 und das lobpreisende Gebet Mt.11,25-27 auf genau
denselben Gegenstand hinzielen, nämlich auf den Endzeittermin,
legt auch eine auffällige, beiden Logien gemeinsame sprachliche Besonderheit nahe: das messianische Sohn-Vater-Verhältnis
ist hier wie dort unablösbarer Bestandteil der Aussage.
Mit einer hierarchischen Stufenleiter, die von der untersten
Sprosse der normalen Sterblichen über die Engel zum Intimus Gottes, dem messianischen Sohn, (wenn, dann müßte er es wissen!)
reicht, schreitet Jesus hier alle nur denkbaren Offenbarungsme-
dien ab, um klarzustellen, daß der Vater das Wissen um den Termin in seinem Herzen behält.
Gegen wen richtet sich solche Klarstellung? Die Fingerzeige des
Logions sind deutlich genug! Jesus spielt auf die Deuteengel an,
die im Danielbuch und in anderen apokalyptischen Schriften dem
Seher Hilfestellung und Aufklärung, vor allem bei der Errechnung
des Endzeittermins, geben. Er deckt somit allen, die im Danielbuch, besonders in den Reden der Deuteengel, nach dem Endzeittermin forschen[2], die Vergeblichkeit ihres Mühens auf.

---

vorausschicken.
2) Dan.8,17; 11,35.4o; 12,6.13; äth.Hen.19,3; 4.Esr.6,6; 12,9;
   13,2o; 14,5
3) Dan.4,13.2o.22; 7,25; 8,13f; 9,24-27; 12,7.11-12; 4.Esr.
   7,28.31; Ass.Mos.1o,11
1) Vgl. den Nachhall von Mk.13,32 in Apg.1,7, das sich noch
   stärker an die danielische Sprache anlehnt: "Euch steht es
   nicht zu, Fristen und Zeiten zu wissen, die der Vater nach
   seinem souveränen Willen festgesetzt hat."
2) Vgl. Dan.8,17:"Da kam er [der Engel Gabriel] auf mich zu
   ...Er sagte zu mir [Daniel] : Mensch versteh: Die Vision
   betrifft die Zeit des Endes."

Mit dem Aufkommen der Deuteengel[1] war eine weitere Zwischenin-
stanz zwischen Gott und die Gotteserkenntnis begehrenden Menschen geschoben: Der weise Seher vermag die himmlischen Geheimnisse zwar visuell wahrzunehmen, aber nicht im letzten zu verstehen; er bedarf der Erklärung eines angelus interpres. Dieser
ruft appellativ zum Verstehen auf[2] und führt in das Geheimnis
ein.

Der eindringliche Ruf "achte auf", "begreife", "versteh" ("bīn":
Dan.8,17; 9,22f; 1o,11) begründet zusammen mit Dan.11,33ff; 12,
1o eine überlagernde Interpretation der Lehre Jesu in sekundärer
Schichten der synoptischen Überlieferung. Die mysteriösen "para-
bolai" Jesu (bildhafte Rätselreden, Allegorien) verlangen ein
hohes Maß an Aufmerksamkeit und Einsicht und drängen zu einer
Auflösung im esoterischen Kreis (Mk.4,13.34; 7,17f; 8,17f.21;
vgl. 13,14). Weil dieser spärlichen Überlieferung die viel breitere der öffentlichen, leicht verständlichen Predigt Jesu entge-
gensteht (siehe S.48ff), weil sie auch literarkritisch mindester
in Mk.4,13.34; 8,17f.21 als sekundär zu beurteilen ist, vor allem aber, weil anders sich Jesus selber widersprechen würde, ver
mag ich hier nur zu vermuten, daß offenbar in der apokalyptisch
denkenden Urgemeinde das sich im Danielbuch dokumentierende Offenbarungssystem benutzt wurde, die Scheidung der kleinen Gemein
de aus 'verstehenden' Christusgläubigen von der 'verstockten'
Masse der ungläubigen und unverständigen Juden in Leben und Verkündigung Jesu angelegt zu erklären.

Jesus selbst spricht in Mk.13,32 - fast beiläufig - den Deute-
engeln die Kompetenz in Sachen Endzeittermin ab.

Auch hierin geschieht etwas Bedeutsames. Man vergegenwärtige
sich: Die Zweideutigkeit, ja Mehrdeutigkeit einer apokalyptische
Vision setzte fast zwangsläufig eine Vielfalt von Deutungen aus
sich heraus. War erst einmal grundsätzlich die Möglichkeit ein-
geräumt, die Deutung von der Vision dergestalt abzulösen, daß

---

1) Vgl. z.B. Dan.7,16.2o.23; 8,15-19; 9,21ff; syr.Apk.Bar.56,
   1ff; äth.Hen.1,2; 46,2.
2) Das Durch-und-durch-Verstehen einer Offenbarung ist jedenfalls noch einmal eine eigene Sache. Auch Dan.12,1o "Die weisen Führer werden verstehen" hebt das tiefe Verstehen ("bīn")
   vom Weisesein als einen besonderen Akt ab.
   Vielleicht ist hierin auch begründet, daß Jesus in Mt.11,25,
   offenbar fein differenzierend, die "synhetoi" (="nᵉbōnīm")
   neben die "sophoi" (= "hakkīmīn" oder "maśkīlīm") stellt.
   Man vergleiche zu dieser Differenzierung aber auch die Be-
   griffspaare in Dan.1,17.2o; 2,21; 5,12.14.

eine Vision als unveränderbar gültig, die Deutung aber als kor-
rigierbar und korrekturbedürftig behandelt wurde, so war der
Verwirrung der Geister die Tür geöffnet:

> Da sprach er zu mir:
> Dies ist die Deutung des Gesichts, das du gesehen hast.
> Der Adler, den du vom Meer hast aufsteigen sehen, das ist
> das vierte Weltreich, das deinem Bruder Daniel im Gesicht
> erschienen ist.
> Ihm freilich ist es nicht so gedeutet, wie ich dir jetzt
> deuten will oder schon gedeutet habe.   - 4.Esr.12,1o-12

Auch im triptychischen Lk.17,2of[1] bestreitet Jesus im ersten
der beiden verneinenden Glieder die Möglichkeit, den Termin
der Königsherrschaft Gottes zu berechnen:

> Nicht kommt die Gottesherrschaft mit Vorzeichen-Beobachtung;
> auch wird man nicht sagen: Sieh hier - sieh dort!,
> vielmehr (wird man sagen): Seht, Gottes Königsherrschaft
>   mitten unter euch!

---

1) Siehe die Auslegung dieses Spruches S. 7off.

12. Neues Ansehen und neue Aussicht der "nēpioi"

Wir suchen im folgenden das innerste Anliegen Jesu in seinem Widerspruch (Mt.11,25-27) schärfer in den Blick zu bekommen.
Es hängt zusammen mit seiner höchst ungewöhnlichen Beurteilung
der Situation der in apokalyptischen Kreisen verachteten "nēpioi". Hier berührt Jesus den neuralgischen Punkt der Apokalyptik, ihre fatalste Konsequenz.
Um einigermaßen gerecht zu urteilen, sei zunächst das respektab-
le Anliegen der Apokalyptik in ihrem Ursprung gewürdigt; man
könnte es fast ein seelsorgerliches nennen.
Als Merkmale der Apokalyptik gelten heute allgemein Pseudonymi-
tät, eschatologische Ungeduld, genaue Endzeitberechnung, Periodi
sierung und Phantastik der Geschichte, weltgeschichtlicher und
kosmischer Horizont, Zahlensymbolik und Geheimsprache, Engelleh-
re und Jenseitshoffnung.[1] Aber was sind die treibenden Kräfte?
Seit der Zeit der brutalen Eroberungsfeldzüge Alexanders des
Großen lebte Israel in einer Zeit des Militarismus, der wirt-
schaftlichen Ausbeutung und der Gefährdung von Kultur und Reli-
gion durch - wechselnde - heidnische Weltmächte. Je heftiger
sie bedrängt wurden und je ärger sie litten, desto glühender
hofften die Frommen Israels. Ihre Hoffnung mußte, der Bedrohung
entsprechend, auf eine globale Rettung aus sein: ein zukünftiges
Reich Gottes würde die Reiche dieser Welt zur festgesetzten Zeit
zermalmen, an ihre Stelle treten und eine - meist jenseitig gedachte - Welt ewiger Gerechtigkeit begründen. Weil totalitäre
Imperien keine sie infragestellenden Gegenentwürfe dulden, konnte diese Hoffnung der in der Welt Ohnmächtigen nur im Geheimen
gepflegt werden und geriet ins Esoterische.
Die erklärte Absicht der Apokalyptiker war dabei, aus einem tiefen Wissen um die Geschichtsmächtigkeit des Gottes Israels heraus
die Bedrängten zu trösten, ihr Durchhaltevermögen und gegebenen-
falls den Mut zum Bekenntnis und zum Leiden zu stärken.
Von daher kommt es zum scheinbar spekulativen Interesse am Geschichtsplan Gottes. Primär ist dieses Interesse nicht. Vielmehr

---

1) Vgl. Koch, S.161.

steht am Anfang der apokalyptischen Traditionsbildung die not-
volle Frage der Bedrängten: "Wie lange noch...?" (Dan.8,13; 12,
6).

Die Wie-lange-Frage hat in Israel traditionell Heimatrecht und
ihren primären Ort in den Klagepsalmen des Tempelgottesdienstes.
Im Vorfeld der Apokalyptik, in Sacharjas Nachtgesichten wird
sie in einem neuen, die persönlichen Lebensgeschichten trans-
zendierenden Sinn laut:

> Jahwe Zebaoth, wie lange noch willst du dich nicht erbarmen
> Jerusalems und der Städte Judas, denen du nun schon siebzig
> Jahre zürnst?! (Der Deuteengel überbringt darauf eine
> tröstende Antwort) - Sach.1,12ff[1]

Die Danielapokalypse ist in ihrem Ansatz ein Seelsorgeversuch
an bedrängten Frommen, indem sie auf ihre Wie-lange-Frage eine
Antwort zu geben sucht. (vgl. Dan.8,13; 12,6)

Eindrucksvoll artikuliert die Urabsicht der Apokalyptik das Bekenntnis Baruchs:

> Du, dem nichts zu schwer ist,
> der du vielmehr alles leicht durch einen Wink ausführst;
> du , zu dem die Tiefen wie die Höhen herbeikommen,
> und dessen Worte die Anfänge der Welten dienstbar sind;
> du, der denen, die dich fürchten, das offenbarst,
> was ihnen bereitet ist, um sie von daher zu trösten...
>
> - syr.Apk.Bar.54,2-4

Der Trost wird dadurch verstärkt, daß der Apokalyptiker seine
Visionen, die den Erkenntnisschlüssel zum Geschichtsplan Gottes
enthalten, unter dem Pseudonym einer großen Gestalt der Vorzeit
bzw. 'klassischen' Zeit Israels[2] veröffentlicht und damit das
Gewicht einer starken Autorität in die Waagschale wirft.

Das leidenschaftliche Engagement der Apokalyptiker führt freilich fast wie von selbst zu einer erbitterten Gegnerschaft zu
allen Außenstehenden, nicht nur zu den Repräsentanten und Sym-
pathisanten der jeweiligen Großmacht, sondern zu allen, welche
die Offenbarungen nicht annehmen und ihre Konsequenzen nicht
auf sich nehmen und die apokalyptischen Glaubensüberzeugungen
nicht teilen. Diejenigen, die die Gefolgschaft verweigern, werden nun umgekehrt vom Offenbarungsprozeß ausgeschlossen - so

---

1) Vgl. zur Stelle H.Gese, Anfang und Ende, S.2o7-o9.
2) z.B. Adam, Abel, Henoch, die Patriarchen, Mose, Baruch, Esra.

machen die Apokalyptiker gleichsam aus der Not eine Tugend. Dieser Prozeß spiegelt sich noch in Texten wie 4.Esr.12,35-38[1] (wahrscheinlich hat eine schriftliche Apokalypse eine mündliche Vorgeschichte, in der die Ablehnung schon konkret erfahren ist):

> Dies ist der Traum, den du gesehen, und dies ist seine Deutung.
> Du allein bist würdig gewesen, dies Geheimnis des Höchsten zu erfahren.
> So schreibe dies alles, was du gesehen hast, in ein Buch und bewahre es an verborgenem Ort und lehre es die Weisen deines Volkes, von denen du sicher bist, daß ihre Herzen diese Geheimnisse fassen und bewahren können.

Die Apokalyptiker bewältigen ihre Enttäuschung über die Glaubensverweigerung, indem sie ihrerseits betonen, die letzten Dinge den geistlich Unsensiblen anzuvertrauen, wäre vergebliche Liebesmüh, wenn nicht gefährlich. Mit einer massa perditionis wird durchaus gerechnet:

> Du [Gott] allein kennst die Dauer der Generationen,
> und nicht offenbarst du diese Geheimnisse der großen Masse.
>
> — syr.Apk.Bar.48,3

Aus diesem Ansatz entsteht eine radikale Polarisierung.
Auf der einen Seite befinden sich die 'Weisen und Verständigen/ Experten'. Das im Jesuswort angesprochene Paar umfaßt, streng genommen, vier Gruppen. Sie sind freilich nicht scharf gegeneinander abzugrenzen und lassen sich am ehesten als 4 konzentrische Kreise darstellen, von innen nach außen:
1. Daniel und andere Visionäre, deren Schauungen z.Z. Jesu

---

1) Vgl. 4.Esr.14,25f.46ff und zahlreiche Stellen im apokalyptischen Schrifttum, die die Rolle der 'Weisen' bzw. 'Sachverständigen' bzw. apokalyptische 'Weisheit', 'Wissen' und 'Verstand' rühmen, z.B. äth.Hen.5,8; 19,3; 37,3ff; 51,3; 61,7; 82,2f; 91,1o; 99,1o; 1oo,6; 4.Esr.5,9 (Hypostasierung!); 14, 13.39f.46f.5o; syr.Apk.Bar.28,1; 54,5; 59,7; Dan.12,3. Vgl. auch die strenge Arkandisziplin in Qumran 1 QS 9,16f; CD 15,1of und 1 QSa 2,16. Von Rad, S.319, bemerkt, daß Dan.12 geradezu in eine "Apotheose der Weisheitslehrer" münde. Vgl. zum außerordentlichen Selbstbewußtsein des Apokalyptikers noch 4.Esr.12,36; 13,53-56.

Literatur geworden sind;

2. mit Jesus gleichzeitige Visionäre;

3. die 'Vertreter' (Lehrer) der apokalyptischen Schriften (vgl. Daniels "maśkîlîm" 11,32-35; 12,3f.1o);

4. die gläubigen bzw. gelehrigen Schüler (vgl. Dan.11,32f; 12, 1o).

Die Weisen - auf der guten Seite - mehren die Weisheit der auf sie Hörenden noch und leiten sie auf den Weg der Gerechtigkeit mit dem Ziel des Ewigen Lebens:

> Dann weiß ich ein anderes Geheimnis: die Bücher [mehrere Henochschriften] werden den Gerechten und Weisen übergeben werden und viel Freude, Rechtschaffenheit und Weisheit verursachen. Die Bücher werden ihnen übergeben werden; sie werden daran glauben und sich darüber freuen, und alle Gerechten, die daraus allerlei Wege der Rechtschaffenheit erlernten, werden den Lohn empfangen.
> - äth.Hen.1o4,12-13 (vgl. 48,1 und als Grundlage schon Dan.12,2-3)

Weise sein und gerecht sein wird eins und die Bedingung des Ewigen Lebens.

Die unwissenden Laien auf der anderen Seite sind nicht nur die Dummen, die die Geheimnisse nicht fassen können, sondern damit in des Wortes ursprünglicher Bedeutung zwangsläufig auch die verdammten Sünder, wobei der Kausalnex, Ursache und Wirkung gar nicht mehr zu klären sind: Resultiert die Gottlosigkeit aus der Dummheit oder umgekehrt oder besteht die Torheit in eben der gott- und gesetzlosen Sünderexistenz? Jedenfalls: Mangels Einsicht und Kenntnis des Zeigerstands der Weltuhr verpassen die 'dummen Sünder' noch die letzte Gelegenheit zu Buße und Umkehr.

> Es werden gesichtet und geläutert und geprüft werden viele;
> aber die Frevler werden weiterhin freveln.
> Und alle Frevler werden nicht verstehen,
> aber die weisen Führer werden verstehen. - Dan.12,1o
>
> Und viele von denen, die im Land des Staubes schlafen, werden erwachen,
> die einen zum ewigen Leben, die anderen zur ewigen Schmach.
> Doch die weisen Führer werden leuchten
> wie der Glanz der Himmelsfeste
> und die, welche viele zur Gerechtigkeit geführt haben,
> wie die Sterne für alle Zeit.
> - Dan.12,2-3

Und nun schwöre ich euch, ihr Weisen und Toren,
daß ihr viel auf Erden erfahren werdet...
Weil ihnen Wissen und Weisheit fehlt,
so werden sie zusammen mit ihren Schätzen,
mit all ihrer Herrlichkeit und Ehre untergehen
und in Schmach, durch Mord und in großer Armut
in den Feuerofen geworfen werden...
Wehe euch Toren,
denn ihr werdet durch eure Torheit umkommen,
ihr habt auf die Weisen nicht gehört
und werdet nichts Gutes empfangen.
Wisset nun, daß ihr für den Tag des Verderbens zubereitet
    seid,
hoffet nicht, daß ihr als Sünder am Leben bleiben werdet,
sondern ihr werdet hingehen und sterben.
Denn ihr kennt kein Lösegeld;
denn ihr seid zubereitet für den Tag des großen Gerichts,
den Tag der Trübsal und großen Beschämung für euren Geist.

   - äth.Hen.98,1ff

Und es kommt die Periode, die ewig bleibt,
und die neue Welt, die diejenigen, die am Anfang zur
Seligkeit hingehen, nicht zur Verwesung umwandelt, und
mit denen, die zur Pein dahingehen, kein Erbarmen hat
und die, die in ihr leben, nicht dem Untergang entgegen-
führt. Denn diese sind es, die diese Zeit, von der die
Rede ist, erben sollen, und ihrer wartet das Erbe der
verheißenen Zeit; diejenigen nämlich, die sich Vorräte
an Weisheit zu eigen gemacht haben, und bei denen sich
Schätze der Einsicht vorfinden, und die sich von der
Gnade nicht losgesagt haben und die die Wahrheit des
Gesetzes beobachtet haben. Denn diesen wird die Welt gegeben, die da kommt; der Aufenthalt der vielen Übrigen
aber wird im Feuer sein.   - syr.Apk.Bar.44,12-15

Syr. Apk.Bar.7o,5

Und die Weisen werden schweigen,
und die Toren werden reden,

aus einer Ankündigung der schlimmsten Perversionen in der Not-
zeit der messianischen Wehen, zeigt, wie geringschätzig man
über die Toren und wie hochachtungsvoll man über die Weisen gedacht hat.

Weil Jesus genau <u>diesen</u> polaren Gegensatz von Weisen und Toren,
wie er in äth.Hen.98ff geradezu systematisch entfaltet ist, an-
spricht, wird man die gängige, zuletzt von D.Flusser[1] entschiede

---

1) S.268

vertretene Auffassung nicht teilen können, Jesu Wertschätzung
der "nēpioi" sei im apokalyptischen und besonders im qumrani-
schen Schrifttum schon vorbereitet. Zwar lassen sich einzelne
Stellen anführen, an denen die "p^{e}tā'īm" als die belehrbaren
Empfänger und Adressaten apokalyptischer Lehre nicht abquali-
fiziert sind[1], und im Danielbuch erhalten die "maśkīlīm", die
Weisen, die sich mit den Geheimnissen des Geschichtsverlaufs
intensiv beschäftigen, immerhin einen Lehrauftrag, "viele" Ge-
lehrige des Volkes zur Einsicht zu bringen[2], aber der Bezugs-
punkt für Jesus ist eben eindeutig die apokalyptische Antithese
von 'Weisen' und 'nēpioi'[3], die vom heilsnotwendigen Wissen ausgeschlossen sind, die nach äth.Hen.98,9; 1 QH 5,26 sozusagen un-
verbesserlich und schuldhaft dumm sind und dumm bleiben[4].

Jesus beläßt ja den absoluten Kontrast zwischen 'Weisen'
und 'Toren' ; beide Gruppen bleiben konträr und unversöhn-
lich entgegengesetzt, der 'Standesunterschied' wird nicht

---

1) 11 Q Ps^a 18,5-8; 1 QH 2,9; 4 QpNah 3,5; 1 Q pHab 12,4; syr.
   Apk.Bar.54,5.
   Diese Aussagen liegen etwa auf der Linie dessen, was M.Saebo
   in THAT II 496f sagt: "Das Personenwort 'paeti' kennzeichnet
   einen Menschentyp, der jugendlich, unbesonnen und voreilig, darum verleitbar und töricht, aber auch lernbedürftig und lern-
   fähig ist: den 'Einfältigen', für den noch Hoffnung ist... Seine 'Einfalt' ist jedoch nicht religiös bedeutungslos oder un-
   gefährlich für ihn selbst und seine Mitmenschen: durch sie ge-
   rät er ins Unglück (Spr.22,3; 27,12); seine 'Abtrünnigkeit'...
   tötet ihn (1,32); nur wenn er die Gemeinschaft der 'Einfältigen' verläßt, sich auf den Weg der Einsicht begibt und Klug-
   heit lernt (8,5; 9,4.6.16), kann er leben (9,6), wie umgekehrt
   die 'Einfalt'...mit Frau Torheit, deren Weg in den Tod führt,
   verbunden ist (9,13). Mögen dem Einfältigen gewisse Möglichkeiten der Erziehung und des Heils noch offen stehen, so ist
   gleichzeitig nicht zu verkennen, daß die Haltung der 'Einfalt'
   als Torheit letzten Endes nur ein Schicksal des Unheils bewir-
   ken kann. "
2) Dan.11,33; 12,3
3) 'Weise' und 'Toren' sind in der Apokalyptik Termini
   technici, bezeichnen einen Status. Der jesuanische Schriftge-
   brauch entspricht dem. Siehe S. 4.
4) Vgl. auch ein atl. Beispiel, das 'Name' geworden ist: "Mein
   Herr achte nicht auf diesen nichtsnutzigen Mann Nabal; denn

eingeebnet! Womit Jesus seine Hörer überrascht, das ist die völlig neue Bewertung beider Gruppen, die Verkehrung der Werte.[1]
Man erkennt leicht, wie Jesus die Rollen der traditionellen Antithese vertauscht und damit den "nēpioi" gleichwie den Sündern in Lk.18,9-14 neues Ansehen und neue Aussicht gibt und sie von lähmender Resignation und Erwartungsangst befreit.
Für diesen Rollentausch gibt es zwar keine unmittelbare Legitimation in der Schrift, aber Jesus wird außer Jes.29,14; 44,24-26, den 'vernichtenden' Worten gegen die Weisen[2], auch Ps.116,5f gekannt haben. Nur hier finden wir innerhalb der Schrift das ausgesprochene Wissen, daß Gott sich den "p^{e}tā$^{>}$īm" freundlich zuwendet:

> Gnädig ist Jahwe und gerecht,
> ja unser Gott einer, der sich erbarmt.
> Es bewahrt die Toren (MT: "p^{e}tā$^{>}$īm"; LXX: "ta nēpia")
> Jahwe.

Wen mag Jesus mit der Bezeichnung "nēpioi" im Blick gehabt haben? Seine Jünger im engeren Sinn?[3] Ich vermute eher: einen weiten, offenen Kreis Hörer seiner Gottesreichverkündigung, die sich ja klassisch-prophetischer und volkstümlich-weisheitlicher Sprachformen bedient, welche allen, gerade auch den einfachen Leuten, Verstehen eröffnen.
Die das Gottesreich betreffenden Geheimnisse der Daniel, Henoch, 4.Esra werden in der äußeren Form langer Allegorien, komplizierter Bildreden mitgeteilt. Ihre 'Übersetzung' erfordert spezielles Können von 'Wissenschaftlern'. Der apokalyptische Visionär selber benötigt mitunter die Deutehilfe eines Engels (siehe S. 39ff), dessen Kompetenz Jesus in Mk.13,32 lapidar bestreitet.
In der Jesus-Verkündigung der Gottesherrschaft finden wir demgegenüber zahlreiche einfache, kurze Gleichnisse, klar und allgemeinverständlich: Bilder und Geschehnisse, aus dem Erfahrbaren oder Beobachtbaren gegriffen, aus sich selber sprechend ,

---

wie sein Name sagt, so ist er: Nabal (Tor) heißt er, und voll Torheit ist er." (1.Sam.25,25) Die 'Torheit' dieses Mannes äußert sich in sittlich minderwertigen Handlungen, in deren Konsequenz der vorzeitige Tod liegt.
1) Siehe auch das auf S.27 gegen Cerfaux Gesagte.

wie für die "nēpioi" geschaffen. Sie entlasten vom inneren
Zwang und Krampf, den Endzeittermin berechnen zu müssen, und
von der Angst, infolge Unwissenheit und Unwürdigseins ausgeschlossen zu werden. Stattdessen wecken sie Freude und Zuver-
sicht bei den Armen und Toren und helfen zu einer das Wesentliche treffenden Gotteserkenntnis.

Erst in einer zweiten Schicht der Jesusüberlieferung hält Daniel
wieder Einzug (Mk.4,1o-2o; Mt.13,36-43). Die Widersprüche und
Spannungen, die sich daraus in den Evangelien ergeben (vgl. nur
Mk.4!), sind seit jeher aufgefallen. Das Gleichnis, das seinem
Wesen nach erhellt und erklärt (Mk.4,33), wird umstilisiert zum
esoterisch zu behandelnden "mystērion"[1], einer Elite "übergeben"
(Mk.4,1o-13; Mt.13,36), zur Allegorie, die der Deutung bedarf
(Mk.4,13-2o.34; 7,17ff; Mt.13,43) wie traditionell Träume und
apokalyptische Visionen[2]. Überall ist hier der Geist und die
Sprache Daniels zu greifen.
Mk.4,1off mit der Unterscheidung von Eingeweiht-Wissenden und
vom Wissen Ausgeschlossenen scheint mir ebenso wie mindestens
etliche apokalyptische Details in den synoptischen Apokalypsen
und verwandten Stücken[3] aus Kreisen der Urgemeinde zu stammen,
die den danielisch-apokalyptischen Glaubensüberzeugungen wieder
näher und von Jesus an diesem Punkt weg rückten.[4]
Dafür daß es in der Geschichte des Urchristentums eine Verstär-
kung apokalyptischer Denkformen gegeben hat, spricht m.E. auch

---

2) Siehe dazu S.67f.
3) so zuletzt Riesner, S.336f
1) Vgl. zum apokalyptischen Hintergrund des Begriffes äth.Hen.
   41,1; 46,2; 51,3; 61,5; 63,2-3; 71,3f; 89,1; 1o3,2; 1o4,1o.12;
   4.Esr.12,36.38; 14,5. Weitere Belege in EWNT II 11oo(H.Krämer).
2) Vgl. nur Dan.2 passim und 9,23ff. Charakteristisch ist 4.Esr.
   4,47: "Er sprach zu mir: 'Tritt nach rechts, so will ich dir den
   den Sinn des Gleichnisses erklären.'"
3) Mk.13,7.13f.19; Mt.13,42.5o; 21,44; Lk.21,24ff. Vgl. auch
   Mk.9,1.
4) Riesner versucht den Widerspruch in Mk.4 durch die Hypothese
   einer 'Esoterik auf Zeit' bei Jesus zu lösen: Weil Israel den
   Umkehrruf abgelehnt hat, erschließt Jesus das Geheimnis seiner
   Sendung fortan nur noch einem kleinen Kreis Getreuer. (S.482)

1.Kor.6,2

Wißt ihr nicht, daß die Heiligen die Welt richten werden...

Bezeichnenderweise kann Paulus an dieser Stelle der Rechtshändel
in Korinth sich nicht wie nach Möglichkeit sonst auf ein Wort des
Herrn berufen, sondern auf eine eher allgemeine apokalyptische
Glaubensüberzeugung, die ihren Grund wohl in Dan.7,22.27 hat.

13. Daniel-Kritik in der Basileia-Verkündigung Jesu

Wir sahen schon, daß Jesus mit dem einfachen, allgemeinverständ-
lichen Gleichnis anstelle der danielischen, Spezialwissenschaft
erfordernden Allegorie eine alternative, vor allem den "nēpioi"
erschwingliche Sprachform für seine Basileia-Verkündigung geschaffen hat. Aber auch die Inhalte dieser Verkündigung kontra-
stieren z.T. mit der danielischen Erwartung der Königsherrschaft
Gottes, und das wohl mit der Absicht Jesu. Daniel gibt offensichtlich das Thema an, und Jesus führt es souverän durch: mit,
ohne und gegen Daniel.

Zunächst sei hier das Bild der Königsherrschaft Gottes (malkutā)
im Danielbuch mit wenigen Strichen nachgezeichnet.

a) Prinzipiell erstreckt sich, gespiegelt im Lobpreis des Menschen, Gottes "malkutā" von Ewigkeit zu Ewigkeit und ist allen Generationen gleichzeitig (Dan.3,33; 4,31; vgl. die Doxo-
   logie des Vaterunsers).

b) Der fromme Jude lebt gleichsam in zwei Reichen, im Schnitt-
   punkt der "malkutā" eines irdischen Großkönigs und der "malkutā" des Himmelskönigs (Dan.4,33f). Im Himmel, in der unsicht-
   baren Sphäre, ist Gott schon dauerhaft und unangefochten König
   mit einer entsprechenden gegliederten (Engels-)Gesellschaft.
   "Semantische Entsprechungen erwecken den Eindruck von zwei kon-
   zentrischen Kreisen. Der irdische, weltweit gedachte und monar-
   chisch verfaßte Staat ist in einen göttlichen, ewigen monarchi-
   schen Staat einbegriffen." (Koch, S.2oo)

c) Im apokalyptischen Fahrplan der Weltgeschichte kommt die
   "Zeit", in der die göttliche "malkutā" aus ihrer Verborgen-
   heit heraustreten und sich machtvoll gegen die Weltreiche
   durchsetzen wird, und zwar dann, wenn diese den Höhepunkt ihrer gottwidrigen Tyrannei erreicht haben. "Zur Zeit jener Könige wird aber der Gott des Himmels ein Königreich errichten, das
   in Ewigkeit nicht untergeht; dieses Königreich wird er keinem
   anderen Volk überlassen. Es wird alle jene Reiche zermalmen
   und endgültig vernichten; es selbst aber wird in alle Ewigkeit
   bestehen." (Dan.2,44) Daniel erwartet einen neuen "ᶜōlām", der
   zur gegebenen Stunde - durchschlagskräftig! - die zusammen einen "ᶜōlām" bildenden Weltreiche ablöst. (Vgl. Koch, S.194-2o5).

d) Ob rein "supranatural" (Bertholet) oder in einer gewissen
   Korrespondenz zur bisherigen erdbezogenen Weltgeschichte -
   die neue Welt ("ᶜālam") wird ewig dauern. Die Kennzeichen dieser "malkutā" sind eine ewige "Gerechtigkeit", ein neues, wirk-
   sames Heiligtum auf dem Zion als Weltmittelpunkt (Dan.9,24f),
   Teilhabe der auferstandenen Gerechten (Dan.12). Über die Reich-
   weite der hier statisch verstandenen "malkutā" heißt es, sie

werde ewige Zeiten und alle Räume der Welt umfassen.

e) Die endzeitliche "malkutā" wird vom Höchsten zugleich - wie
ein Ding, das man besitzen und weiterreichen kann - übergeben,
und zwar einem "wie einem Menschensohn" (Dan.7,13f); den Heiligen des Höchsten (Dan.7,18.22); dem Volk der Heiligen des
Höchsten (Dan.7,27). Gerade die letzte Stelle zeigt, daß sich
Gottesherrschaft und Herrschaft der Heiligen nicht ausschließe
"Die Herrschaft und Macht und die Herrlichkeit aller Reiche
unter dem ganzen Himmel werden dem Volk der Heiligen des Höchsten gegeben. Sein Reich ist ein Ewiges Reich, und alle Mächte
werden ihm dienen und gehorchen."

Weniger klar, vielmehr in vielen Farben schillernd wirkt das
Bild auf uns, das die Synoptiker von der Basileia-Verkündigung
Jesu zeichnen. Bald scheint die "Metapher" (Haacker) auf deutero-
jesajanische Heilsgüter, bald auf Aussagen der Königspsalmen,
bald auf danielische Vorstellungen von der Ablösung der einander
folgenden Imperien durch das Gottesreich zu zeigen. In vielen
Fällen verweist sie auf ein zukünftiges Ereignis, in manchen
aber auch auf erfüllte Gegenwart. Hier wird man sie eher räum-
lich, dort eher als zeitliches Phänomen begreifen müssen. Sie
kommt zu den Menschen, oder aber die Menschen 'gehen in sie hinein'. Meistens ist sie ganz diesseitig vorgestellt, manchmal
aber auch als jenseitiges Heilsgut. Sie kann auch dort Thema
sein, wo der Begriff fehlt, und das Vorkommen des Begriffes im
Zusammenhang eines Gleichnisses garantiert nicht, daß das Gleichnis von Hause aus auf die Basileia gemünzt war. (Flusser)

Wenn sie auch keineswegs alle Schwierigkeiten lösen, so scheinen
mir die Bemerkungen K.Haackers in ThB 1982 doch geeignet, einige
klarzustellen.[1]
1. "Was Königtum Gottes an und für sich bedeutet, konnte Jesus
schon vom AT her als bekannt voraussetzen." (S.249) Er mußte also darüber keine Lehren erteilen.
2. Für uns ergibt sich daraus, den ntl. Ausdruck 'Königsherrschaft Gottes' von dem her mit Anschauung zu füllen, was in biblischen Zeiten unter einem rechten König verstanden wurde: Gerechtigkeit verwirklichen, Rechtspflege, Schutz und Aufrichten
der Armen und Unterdrückten sowie Friedenssicherung nach außen
gehörte zu seinen ersten Pflichten (vgl. Ps.45,5-8; 72; 145,14;
Jer.22,13-17; 23,5; im Neuen Testament Mt.6,33; Röm.14,17; Mt.
6,1ob; Lk.6,2o). "Die Idee der Gottesherrschaft...ist ein Ord-
nungskonzept für ein gedeihliches, gerechtes und barmherziges
Miteinander unter der Aufsicht und der Fürsorge Gottes."(S.249)
3. "Das Reich Gottes ist kein Territorium, auch nicht das hei-
lige Land, denn ein Territorium kann nicht kommen. Daß eine Königsherrschaft 'kommt', bedeutet nichts anderes als den Beginn
einer Regierungszeit als König, die Übernahme königlicher Macht
und Würde...Wird diese Redeweise auf das Verhältnis Gottes zur
Welt übertragen, so heißt das für die Zeit vor dem Kommen der

---

1) Vgl. auch S.Ruager, Das Reich Gottes und die Person Jesu,
ANTI 3, 1979.

Gottesherrschaft nur, daß Gott noch nicht 'alles so herrlich regieret'." (S.25o)
4. Prinzipiell lag das Reich Gottes für Jesus durchaus in der Zukunft. Haacker verweist mit Recht auf die 2.Vaterunser-Bitte und die präzise Bedeutung des "engiken" Mk.1,15: "ist nahe gekommen". (=Röm.13,11ff; vgl. auch Jes.56,1ff!) Zudem fällt - gegen Haacker - Lk.17,2of als einer von zwei Belegen für eine in Jesu Wirken gegenwärtige Basileia weg (siehe dazu Kap.II).
5. Zu ergänzen wären m.E. vor allem drei sichere Daten:
a) die Anknüpfung Jesu an jes. Verheißungen, wonach sich das eschatologische Königwerden Gottes in einer umfassenden Not-wende manifestieren wird (4o,9; 52,7[1] und v.a. 33,22-24 [!!]);
b) der Zusammenhang der präsentischen Aussage (Lk.11,2o "ephta-sen") mit den exorzistischen Ereignissen (vgl. Lk.1o,18; Apk. 12,1o-12). Wenn Jesus selbst seine Dämonenaustreibungen als Basileia-Ereignisse versteht (Lk.11,2o; Mt.12,28), so könnten ihn zwei intuitiv zusammengezogene 'Evangelium-Stellen' (Jes. 52,7 + Jes.61,1ff; vgl. ihre Kombination in 11 Q Melch) inspiriert haben: Königtum Gottes realisiert sich bei solcher Zusammenschau, wo Gebundene von ihren Fesseln gelöst werden (vgl. Lk.13,16!)[2] [3];
c) die Vereinbarkeit von Jesu Messianität und Gottesreichverkündigung. Der Messias ist, von der atl. Tradition her (David und Menschensohn Dan.7),Repräsentant des göttlichen Königtums[4].

Im folgenden soll es uns um die Basileia-Verkündigung Jesu nur insoweit gehen, als wir einige deutlich gegen die danielische malkutā-Erwartung gesetzte Akzente meinen wahrnehmen zu können.

---

1) Vgl. Grimm, Verkündigung, vor allem S.68-151.
2) Vgl. a.a.O., S.88-1o1.
3) Einen zweiten Schriftgrund kann man annehmen. In Sach.14,9 lesen wir:
>   Dann wird Jahwe König sein über das ganze Land.
>   An jenem Tag wird Jahwe der einzige sein
>   und sein Name der einzige.
Eigenartigerweise ist noch nicht in Erwägung gezogen worden, ob nicht die Zeloten ihren Freiheitskampf mit dieser eschatologischen Weissagung theologisch untermauert haben. Jedenfalls legt der Geschichtsbericht des Josephus einen solchen Zusammenhang nahe:
>   ...verleitete ein Mann aus Galiläa mit dem Namen Judas
>   die Einwohner...zum Abfall, indem er es für einen Frevel
>   erklärte, wenn sie bei der Steuerzahlung an die Römer
>   bleiben und nach Gott irgendwelche sterblichen Gebieter
>   auf sich nehmen würden... - Bell.2,117f
>   ...Als Herrscher und Herrn erkennt sie [die Schule des Ju-
>   das] Gott allein an. Ganz ungewöhnliche Todesarten erdul-
>   den sie..., wenn sie nur keinen Menschen als Herrn anzu-
>   erkennen brauchen. - Ant.18,23f
Dieselbe sacharjanische Stelle könnte Jesus in seinen Siegen über die mit Gott konkurrierenden satanischen Mächte als

Eine wichtige Eigenart des jesuanischen Basileia-Verständnisses
erschließt sich uns aus dem Vergleich des Senfkorngleichnisses
(Mk.4,3o-32) mit der Allegorie vom Weltenbaum (Dan.4).

Beiden gemeinsam ist das Motiv von den Vögeln des Himmels, die i
seinen Zweigen nisten und unter seinem Schatten Wohnung finden,
Sinnbild heilszeitlichen Lebens in Frieden und Geborgenheit und
unter 'königlichem' Schutz. Bei Daniel war es dem Weltreich Nebukadnezars zugeordnet, im Jesusgleichnis dem 'Gottesreich alleine
vorbehalten, was mit Jesu tiefer Skepsis gegenüber den "Herrsche
über die Völker" (Mk.1o,42-45) zusammenstimmt.

Während das Danielbuch eine Abfolge von 4 Weltreichen und die Ablösung des letzten "im Nu" durch die göttliche "malkutā" annimmt
also einen letzten totalen Umschlag, ansatzlos (Dan.2,35), zeigt
Jesus auf den unscheinbar kleinen, aber doch bedeutsamen schon e
folgten Anfang. Dieser ist "gesät" durch seinen messianischen
"Dienst" inmitten der noch laufenden Weltgeschichte (Mk.4,31; Mt
12,28; Lk.1o,23f), einen Dienst, der durch seine Jünger verviel-
facht werden kann (Mk.1o,42-45; Lk.1o,9.17ff; Mt.5,13ff).

Für diesen 'winzigen Anfang' gibt es in der Weltreiche-Gottes-
reich-Konzeption des Danielbuches keinen Platz, und umgekehrt
findet sich in der Jesustradition keine Theorie, Theologie oder
auch nur Gliederung der Weltgeschichte (Ausnahme Mt.11,12/ Lk.16
16?). Nach Mk.1o,42-45 stellt nur allgemein die vergewaltigende
Herrschaftsweise der Machthaber der Völker - ohne chronologische
Ordnung oder differenzierende Wertung - ein negatives Gegenstück
zur Liebesordnung des Reiches Gottes dar. Wenn Jesus einen Anfan
und ein Wachsen der Königsherrschaft Gottes inmitten der weiter-
laufenden Weltgeschichte predigt, also einen dynamischen Prozeß[1]
so steht dies der danielischen malkutā-Erwartung strikt entgegen

---

erfüllt angesehen haben.

4) Vgl. dazu H.Gese, Der Messias, S.128-151; S.Ruager; S.Kim,
v.a. S.76ff.

1) Kennzeichen der Basileia ist nicht der Zustand, daß es keine
Kranken und keine Tyrannei mehr unter Menschen gibt, sondern
Basileia ereignet sich da, wo Dämonisierte frei, Kranke gesund
Machthungrige Dienende werden. Das macht dann auch verständlich, warum Jesus die Basileia trotz ihres im Prinzip zukünfti
universalen Charakters in seinem Wirken punktuell geradezu an-
brechen sehen mußte. Das Prozessuale und Dynamische in

denn die göttliche "malkutā" ist durch einen herrschaftlichen
Akt der Machtübertragung zur gegebenen Zeit mit einem Schlag
vollständig da :

> [Dem Menschensohn] wurde Macht gegeben und Ehre und Reich,
> daß die Völker aller Nationen und Zungen ihm dienten .
> Seine Macht ist eine ewige Macht, die niemals vergeht,
> und nimmer wird sein Reich zerstört. - Dan.7,14
>
> Dann aber wird das Gericht zusammentreten,
> und jenem König wird die Macht genommen werden,
> endgültig zerstört und vernichtet.
> Und das Reich und die Herrschaft und die Macht
> über alle Reiche unter dem ganzen Himmel
> wird dem Volk der Heiligen des Höchsten gegeben werden.
> Ihr Reich ist ein ewiges Reich,
> und alle Mächtigen
> müssen ihnen dienen und untertan sein. - Dan.7,26f

Der Satz Jesu über die wahre Größe, die sich im Dienen erweist,
widerspricht geradezu diesem danielischen Satz[1]. Denn er bestimmt
die Einbruchstelle der "malkutā" völlig anders - sie wird jetzt
dort gesehen, wo das Herrschaft-Ausüben und Vergewaltigen ins
Gegenteil des helfenden und liebenden 'Dienens' verkehrt wird:

> Ihr wißt, daß die als Herrscher der Völker gelten
> sie unterdrücken,
> und ihre Großen üben Gewalt gegen sie aus.
> Nicht so soll es bei euch sein,
> sondern: wer unter euch ein Großer sein will,
> der sei euer Diener,
> und wer unter euch der Erste sein will,
> der sei der Diener von allen.
> Wie auch der Menschensohn ist nicht gekommen,
> daß er sich dienen lasse,
> sondern um zu dienen
> und sein Leben zu geben als Lösegeld anstatt der Vielen.
>
> - Mk.1o,42-45

Es geht nicht mehr um einen Machtwechsel bei bleibender Machtstruktur, sondern um eine ganz andere Form der 'Herrschaft',

---

"basileia tou theou" unterstreichen die Wachstumsgleichnisse
Mk.4 mit der Betonung des Anfangs ebenso wie die Bilder vom
Salz und vom Sauerteig, der den ganzen Teig durchsäuert (Mt.
5,13; 13,33).
1) Vgl. Grimm, Verkündigung, S.256f, und einen ausführlichen
philologischen Nachweis bei P.Stuhlmacher, S.418ff.

wobei letzterer Begriff nur noch in Anführungszeichen zu gebrau-
chen ist. Ausdrücklich wird das Dienen in dem Prozeß der basileia
tou theou als ein dem Gebaren der weltlichen Machthaber Zuwider-
laufendes herausgestellt; der Menschensohn, dem nach Dan.7 alle
Macht übertragen werden soll, ist nach Mk.1o,45 vielmehr der Diener, der 'erste Diener', und dies in ausgesprochener Umkehrung jener offenbar allgemein bekannten danielischen Basileia-Erwartung.

Wollte man Mk.1o,42-45 im widerspruchsfreien Verhältnis zu Dan.
7,9-14 sehen, bliebe nur die Möglichkeit, sein messianisches
Wirken und die Hingabe seines Lebens als ein vorübergehendes,
zeitweiliges Dienen vor der Machtübernahme, ein 'Empordienen',
zu verstehen. Stillschweigend wäre vorausgesetzt, daß mit einem
späteren Herrschaftsantritt des Menschensohns die Rollen am Ende
doch wieder traditionell und wie von Dan.7,13ff angesagt ver-
teilt wären.
Doch ist Mk.1o,42-45 in Antithesen formuliert; dies impliziert
ein Bewußtsein Jesu, einer herkömmlichen und allgemein bekannten Verteilung der Rollen der Könige und ihrer Völker, des
Menschensohns und der Vielen zu widersprechen. (Vgl. zur Funktion der Antithese Mk.2,17b.)

Jesus korrigiert nicht nur die Reich-Gottes-Vision Daniels, sondern verwirft doch wohl auch das 'positive Verhältnis' Daniels
zur Macht.

Das Danielbuch bemerkt mit Genugtuung, daß Nebukadnezar Daniel
"einen hohen Rang" und viele reiche Geschenke gab, ihn zum Gebie-
ter über die Provinz Babel und zum obersten Präfekten aller
Weisen von Babel machte (Dan.2,48). Belschazzar gar kleidet ihn
in Purpur und läßt ihn als "Dritten" im Reich herrschen. (Dan.5,
29)

Jesu Verkündigung, besonders Mk.1o,42-45, hat diese naive Freude an Macht und Position gebrochen. Seither haben Christen notwendigerweise ein gebrochenes Verhältnis zur Macht.

14. Offenbarung anders - die messianische Alternative

Bevor wir uns dem letzten Glied der 1.Strophe (V.26) abschließend
zuwenden - es führt uns zum letzten Grund des Widerspruchs Jesu!-,
entdecken wir in der 2.Strophe die 'messianische Alternative'.
Strophe 1 des Hymnus hatte ja rein negativen, bestreitenden Charakter, und nur in der neuen Sicht der 'nēpioi' leuchtete eine
andere Möglichkeit von Offenbarung auf. Diese entfaltet sich nun
in Strophe 2. In den rahmenden Gliedern a und d bekennt Jesus in
danielisch-apokalyptischer Sprechweise, selber Offenbarungsmittler zu sein[1]. Ihm sind "alle" himmlischen Geheimnisse übergeben,
und er gibt sie seinerseits in der von Daniel immer wieder Gott
zugeschriebenen souveränen Freiheit weiter.
Dazwischen wird eine unerhört neue Weise von Offenbarungswirk-
lichkeit behauptet.
Wir sahen schon, daß V.27b.c eine Intimbeziehung umschreibt.
Das Semitische kennt kein Reziprokpronomen, um ein Einanderken-
nen einfach auszudrücken. Nun gilt es, mit einem Blick auf die
sprachliche und theologische Vorgeschichte den singulären V.27
in seiner Tiefe auszuloten und das Mitschwingende abzuhorchen.

Bereits der profane Gebrauch des hebr. "jdᶜ" weist auf Wichtiges
hin.
"Esau war ein Mann geworden, der sich auf die Jagd verstand",
heißt es in Gen.25,27. "jdᶜ" bezeichnet hier das Vertrautsein
mit einer Sache, das durch steten Umgang gewachsen ist. Darf man
nicht gleiches aus Mt.11,27c, nur dort auf der personalen Ebene
sich abspielend, heraushören?

In einem intakten Vater-Sohn-Verhältnis liegen die Gedanken und
Pläne des Vaterherzens offen vor dem Sohn da:

---

1)Vgl. die Vokabeln "offenbaren" und "(über)geben" im danielischen Lobpreis Dan.2,19-23 und im apokalyptischen Schrifttum
passim ; z.B. "offenbaren": äth.Hen.1,2; 52,5; 61,5; 4.Esr.6,29-
34; 7,7⁶; 1o,52; 12,39; 13,14f; 14,8; "(über)geben": äth.Hen.
1o4,12-13; 91,1o; 4.Esr.14,46 .

Mein Vater tut nichts Wichtiges oder Unwichtiges,
ohne es mir zu offenbaren.
Warum sollte mein Vater gerade das vor mir verheimlichen?
Nein, das kann nicht sein!   - 1.Sam.2o,2

Das Wort Jonathans an David gehört wohl zu den 'Vorläufern' von
Mt.11,27.

In vielen Nuancen und Varianten spricht das AT von einer "daᶜat
älohim" des Menschen.[1] Gefordert ist mit diesem Begriff ein un-
gestörtes, tiefes Vertrauensverhältnis, in dem der Mensch der er
fahrenen Heilstaten Jahwes eingedenk und durch treue Gebotserfül
lung im Bund bleibt (vgl. besonders den Zusammenhang von Ri.2,1o
Der jesuanischen Aussage von V.27c scheint mir am nächsten zu
stehen das prophetische Wort von Jes.1,2-3. (In V.3b ist 'Gott'
als direktes Objekt von "jdᶜ" wegen der Parallele zu V.3a mit-
zudenken.[2]) Die Gotteserkenntnis, so ist die Voraussetzung der
Schelte von Jes.1,2-3 zu erschließen, muß gerade von den Söhnen
Gottes selbstverständlich erwartet werden:

> Hört ihr Himmel, und horch auf, du Erde,
> denn Jahwe spricht:
> <u>Söhne habe ich großgezogen</u> und emporgebracht,
> doch sie brachen aus dem Bund mit mir.
> <u>Es kennt</u> das Rind seinen Meister
> und der Esel die Krippe seines Herrn;
> <u>doch Israel kennt (mich) nicht</u>,
> mein Volk versteht nicht.

Zieht man weitere Stellen über das Vater-Sohn-Verhältnis Gottes
zu Israel hinzu (Jes.43,6; 63,16; Jer.3,19f.22; 4,22; Hos.11,1-4
Mal.1,6; 3,17; Dtn.14,1)[3] so ergibt sich ungefähr folgender Sach
verhalt: Die "daᶜat" des Sohnes ist die durch die Liebe des Vaters eröffnete exklusive Intimbeziehung. Sie schließt ein das
tiefe Wissen um Wesen und Willen und Absichten des Vaters, ein
durch täglichen Umgang erwachsenes Vertrautsein und eine eigentlich selbstverständliche Treue (vgl. vor allem Hos.11,1-4).
Jesus repräsentiert, insofern er als Sohn den Vater "erkennt",
Israel, ist "echter" Israelit (vgl. Joh.1,47), Musterisraelit.
(Daß seine Gottessohnschaft primär davidisch-messianische

1) Vgl. THAT I 694-7o1 (W.Schottroff)
2) Gegen Wildberger, S.8
3) Zum Vater-Sohn-Verhältnis Gott-Israel vgl. noch Ex.4,22f;
   Dtn.32,5f.19; Jer.31,9; Weish.2,12-18.

Qualität nach 2.Sam.7,14; Ps.89,27f; 2,7 hat, von O.Betz erst-
malig und zweifelsfrei nachgewiesen, ist dadurch nicht in Frage gestellt, im Gegenteil: Zu Israels Grundüberzeugungen gehört es ausgesprochenermaßen, daß der ideale Davidide ein Mann
nach dem Herzen Gottes und 'aus der Mitte seiner Brüder'
[Dtn.17,15] sein wird.)

Damit ist aber die geniale sprachliche Neuschöpfung noch nicht
aufgezeigt, die V.27 darstellt.

V.27b sagt ja auch umgekehrt, daß nur der Vater den Sohn kennt.
Wenn in V.27 b.c nicht einfach auf allgemeinmenschliche Erfahrung zurückverwiesen wird[1], dann scheint mir hier ebenfalls eine
gewichtige Israel-Tradition aufgenommen und ins Messianische um-
geformt zu sein.

Jahwes "jd^c" in bezug auf den Menschen wird in 3 Zusammenhängen
bekannt:

a) Es umschreibt ein Exklusivverhältnis zu bestimmten Einzelnen
wie Abraham, Mose, Jeremia, David (vgl. Gen.18,19; Ex.33,12.17;
Dtn.34,1o; Jer.1,5).

b) Es besagt das richtende Wissen Jahwes, der mit dem Innersten
des Menschen vertraut ist (vgl. nur Ps.139).

c) Es bringt eine von Jahwe eröffnete verwundbare Intimbeziehung
zu Israel auf den Begriff (Am.3,2; Dtn.9,24): das von Jahwe tätig
geförderte exklusive Liebesverhältnis, aus dem ein tiefes Ein-
anderkennen erwächst.

Den deutlichsten Vorläufer im AT hat Mt.11,27b wohl in
Jes.63,15f:

> Blicke vom Himmel herab
> und sieh von deiner heiligen und herrlichen Wohnung!
> Wo ist dein Eifer und deine Stärke,
> die Regung deines Innern und dein Erbarmen?
> Halte doch nicht an dich!, denn du bist unser Vater;
> denn Abraham weiß nichts von uns,
> und Israel kennt uns nicht.
> Du, Jahwe bist unser Vater;
> unser Erlöser von uran ist dein Name!

Als der Vater "weiß" Jahwe um die Söhne. Vatersein ist - beachte
den synonymen Parallelismus membrorum - gleich den Sohn in der

---

1) Vgl. zu dieser Möglichkeit Dtn.33,9; Joh.5,19-2oa und
   Riesner, S.22o.

verborgenen Tiefe seines Seins kennen, hier: im Abgrund seiner
selbstverschuldeten Verlorenheit. Aber das ist mehr ein intentio
naler denn ein intellektueller Akt: Erkennen und lieben und erlö
sen wollen fallen hier in eins.

Jesu geniale Sprachfigur verschmilzt nun, alttestamentlich gesprochen, die zwei bis dahin unverbundenen schwergewichtigen rel
giösen Aussagen Jes.1,2-3 (Hos.11,1-4): 'Sohn kennt den Vater'
und Jes.63,15f: 'Vater kennt den Sohn'. Beide atl. Aussagen mein
ten schon an sich ein Erkennen im Rahmen einer Intimität, aber
im Subjekt-Objekt-Verhältnis: nur eine Seite ist tätig, entweder
Gott oder der Mensch. Jesus macht deutlich, daß beide Akte
miteinander zu tun haben; beide, Gott und messianischer Mensch,
sind tätige Subjekte in einem wechselseitigen Prozeß, den man
beschreiben könnte als ein Miteinander-im-Wesen-vertraut-Werden.

In der Josephsgeschichte des AT.s finden wir für dieses 'wechsel
seitige Erkennen' lebendigen Anschauungsunterricht.
Von einer 'Offenbarung' im zwischenmenschlichen Bereich berichtet
Gen.45,1 ff:

> Joseph vermochte sich vor all den Leuten, die um ihn
> standen, nicht mehr zu halten und rief: Schafft mir alle
> Leute hinaus! So stand niemand bei Joseph, als er sich
> seinen Brüdern zu erkennen gab. Er begann laut zu weinen
> ...Joseph sagte zu seinen Brüdern: Ich bin Joseph...[1]

Die Situation weist voraus auf ein anderes Offenbarungsgeschehen
Als Jesus sich auf dem Berg der Verklärung in einem letzten Sinn
zu erkennen gab, hatte er zuvor die anderen zurückgelassen, um
nur mit seinen Intim-Vertrauten zusammen zu sein. Gen.45,1 gebraucht das Hitpaᶜel von "jdᶜ", wo es davon redet, daß Joseph
unter Ausschluß der Öffentlichkeit "sich seinen Brüdern zu erken
nen gab". Dieses Hitpaᶜel steht dem wechselseitigen Erkennen
von Mt.11,27 b.c. besonders nahe, insofern es Josephs und der
Brüder Anteil an einem Beziehungsgeschehen einbegreift. Die seeli
sche Tiefe, in der sich dieser Prozeß vollzieht, zeigt V.2, das
heftige Weinen Josephs an: Joseph und die Brüder sind jetzt einander ganz 'offenbar'; letzte Wahrheit, erschreckende und be-
glückende, ist aufgebrochen, der Sinn einer Geschichte ent-
schleiert (vgl. V.8!).
Ich meine, nicht nur die starke Gemütsbewegung verbindet das

---

1) Ein negatives Gegenstück (eine entsprechend grauenvolle
   Möglichkeit!) stellt das Petruswort Mk.14,71 dar: "Ich kenne
   diesen Menschen nicht!" Vgl. äth.Hen.56,7.

Gebet Jesu mit dieser Szene, auch die erregende Intimität einer
andere ausschließenden Beziehung.

Die Reihenfolge der beiden Aussagen im Jesuswort hat nicht nur
den mehr formalen Grund, daß das letzte Glied "und wem [ihn]
der Sohn offenbaren will" ja nur an V.27c anschließen kann. Sie
trägt in einer feinen Weise dem klaren heilsgeschichtlichen Sachverhalt Rechnung, daß der Möglichkeit der rechten Gotteserkenntnis die Selbsterschließung Jahwes, der Treue Israels die erwäh-
lende Liebe Jahwes vorausgeht. Noch Paulus insistiert auf dem
Prä der "da'at" Gottes (1.Kor.8,3; 13,12; Gal.4,9; vgl. ebenso
Joh.1o,14).

Zu einem Problem, das zuletzt D.Flusser gesehen hat[1], sei hier
kurz Stellung genommen. Flusser fragt: Kann man sich V.27, so
viel Willkür, bei Jesus vorstellen? Lk.1o,23f u.a. schließen
doch die Möglichkeit aus, daß Jesus eine exklusive Lehre lehren
wollte. Flusser zeigt selbst die Richtung an, in der die Lösung
liegt: "Zwar ist der Jubelruf Jesu begrifflich und in der Tonart
einem essenischen Hymnus nachgebildet. Hat da etwa der Essenismus
abgefärbt, ohne daß Jesus dasselbe sagen wollte wie die essenischen Künder?"[2] Hier ist einmal die apokalyptische Sprache mit
dem apokalyptischen Problem voll durchgeschlagen. Wir sahen schon,
daß Daniel einen Gott predigt, der sowohl Macht und Herrschaft
als auch Weisheit und Wissen gibt, "wem er will"[3]. Dennoch ist
m.E. auch in V.27d die Antithese von Jesus durchgehalten, und
zwar einfach dadurch, daß der Ton ganz auf dem Sohn liegt: "und
wem [ihn] der Sohn offenbaren will". (Genau parallel dazu liegt
in V.26 der Ton auf "so": so hat es dir gefallen!) Die Exklusion
aller anderen selbsternannten, teils voneinander abhängigen,
teils miteinander konkurrierenden Weisen aus dem Offenbarungsgeschehen zieht in Wahrheit eine Inklusion nach sich: Der messianische Sohn als einziger Offembarungsmittler ist gerade der beste

---

1) S.268f
2) ibidem
3) Vgl. Dan.4,14.32; 5,21; aber auch 1,17; 2,2o-23.

Garant für die Aufhebung jeder Willkür und Diskriminierung und
aller von Elitären gezogenen Grenzen.

Mt.11,27 spiegelt eine kleine geistesgeschichtliche Revolution,
die ich in der Überschrift die 'messianische Alternative' genannt habe. Sie findet ihren Ausdruck in einer entsprechenden
sprachlichen Umwälzung: Strophe 1 und Glied 1 der zweiten Stroph
greifen die apokalyptische Frage nach dem genauen Geschichtsplan
und dem Endzeittermin auf. Dafür steht das sächliche "panta"
bzw. "tauta". Die von Jesus inaugurierte 'alternative Offenbarung' (V.27b.c) setzt eine völlig andere Art von Erkenntnis aus
sich heraus (V.27d) als die apokalyptischer Konvention entsprechende, wie sie durch die Vokabeln "tauta" und "panta" zunächst
aufgegriffen war. Anstelle der sachgerichteten, auf genaue Details spekulierenden apokalyptischen 'daᶜat' tritt die personge-
richtete 'daᶜat' Jesu; der Gedankenfortschritt und Bruch zwischen V.25-27a und 27 b.c zeigt einen neuen Gehalt von Offenbarung an: Nicht mehr dingliches Wissen wird übergeben, sondern
Einblick gegeben in Wesen und Intention der Person Gottes, in
das 'Herz aller Dinge'.
Die Struktur der Offenbarung hat sich im selben Prozeß verän-
dert. Die der Predigt Jesu vorausgegangene Offenbarung hat nicht
einfach nur punktuellen Charakter: blitzartige Eingebung, in einem ekstatischen Augenblick aufblitzende Erkenntnis, sondern sie
fließt gleichsam wie von selbst aus einer intensiven steten Kom-
munikation. Die innigste Verbundenheit mit Gott-Vater setzt
freilich, so ist aus Mt.11,25 zu schließen, durchaus 'Stunden'
besonders tiefer Gotteserkenntnis aus sich heraus. Den äußeren
Rand einer solchen Stunde berührt Mk.1,35:

> In aller Frühe, als es noch dunkel war, stand er auf
> und ging hinaus und weg an einen einsamem Ort; dort betete er.

Daß die Taufe Jesu (Mk.1,9-11) eine erste solche Stunde und
mindestens eine hervorragende war, läßt sich vermuten. Zwei
Punkte im Berufungserlebnis Jesu weisen auf seinen späteren
Dank und Lobpreis voraus: Die (messianische) Sohnschaft wird

Jesus zugesprochen, und zwar als Ausdruck des göttlichen "Wohlgefallens" (=Mt.11,26).

Man wird von daher vermuten dürfen, nicht die apokalyptischen Details von Mk.13 entsprechen Jesus, sondern die Richtungsangabe und das Vor-Augen-Stellen des Herzens des Vaters. Seine unbedingte Güte und Liebe zu wissen genügt:

> Denn jeder, der bittet, empfängt,
> und wer sucht, der findet,
> und wer anklopft, dem wird geöffnet werden.
> Oder ist einer unter euch, den bittet sein Sohn um Brot -
> wird er ihm etwa einen Stein geben?
> Oder er bittet um einen Fisch -
> er wird ihm doch nicht eine Schlange geben!
> Wenn nun schon ihr, die ihr böse seid,
> euren Kindern gute Gaben zu geben wißt,
> wieviel mehr wird euer Vater im Himmel
> denen Gutes geben, die ihn darum bitten. - Mt.7,8-11

Auch das Vaterunser ist hier zu nennen. In diesem Gebet nimmt Jesus die Jünger gleichsam mit hinein in seine intime Gottesbeziehung, übt sie mit ihnen ein. Realisiert sich darin V.27d?

Der Ort von Mt.11,27 b.c auf dem langen Weg der biblischen da^{c}at-Geschichte ist somit wie folgt zu bestimmen.

Einem Kollektiv, Israel, war vom erwählenden Gott eine exklusive da^{c}at-Beziehung angeboten, ja, Jahwe hatte sie - zu seinem Teil - realisiert. Doch ist ein steter Kreislauf in der Geschichte des alten Bundes nicht zustandegekommen bzw. wurde immer wieder gestört. Durch Israels Untreue geriet der Fluß des auf Wechselseitigkeit angelegten da^{c}at-Geschehens ins Stocken: Israel fiel aus der intimen Beziehung, die ihm zum Heil gereicht hätte. Die Gerichtspropheten konnten es nur bestätigen und allenfalls in der Vision des messianischen Heils über den Zusammenbruch der da^{c}at-Beziehung hinausschauen.

Dem entspricht die Intervention Jesu als eine messianische Intervention. Indem der messianische Mensch, echter Israelit (vgl. Joh.1,47), sich an den Platz Israels begibt und als sein Repräsentant sich aufs neue in die zerbrochene da^{c}at-Beziehung hineinnehmen läßt, wird vorläufig an einem Punkt die wechselseitige da^{c}at wieder ins Fließen gebracht. Der tiefste Sinn dieser repräsentativen oder proleptischen Intimbeziehung ist aber, daß sie

offen bleibt und zur Ausweitung auf die 'Vielen' drängt, die
Gottes Kinder sind und werden sollen (Mt.11,27 d; das Vaterunser
Mt.7,8-11).[1]

Paulus hat das Erbe dieser messianischen Revolution treu bewahrt,
in zweifachem Sinne. Ziel und Quintessenz des Heilsgeschehens, so
stellt er den Galatern vor Augen, ist, daß "ihr alle durch den
Glauben Söhne Gottes in Christus Jesus seid", und zwar als von
Gott "Erkannte" und Gott "Erkennende" (Gal.3,26; 4,9). Vor allem
aber führt gerade auch Paulus die auf sächliches Wissen gerichte-
te, beziehungslose bzw. ich-bezogene Gnosis zurück in die personale Kategorie "von Angesicht zu Angesicht". Und diese ist die
Kategorie Jesu (Mt.11,27)! In seiner Auseinandersetzung mit der
korinthischen Gnosis insistiert Paulus genau auf der vom Messias
und Gottessohn wiederhergestellten und eröffneten Intimbeziehung:

> Die Gnosis bläht auf.
> Die Liebe aber baut auf.
> Wenn einer meint, etwas erkannt zu haben,
> hat er noch nicht erkannt,
> wie man erkennen muß.
> Wenn aber einer Gott liebt,
> der ist von ihm [zuvor] erkannt. - 1.Kor.8,1-3
>
> Dann aber werde ich erkennen,
> wie ich zuvor erkannt bin. - 1.Kor.13,12b (In V.13 ist die-
> se im Eschaton vollendete Intimbeziehung Gott -
> Mensch wie in 8,1-3 in den adäquaten Begriff der
> 'Liebe' gefaßt, "die bleibt". Vgl. Gal.4,9)[2]

Gott lieben und Gott erkennen sind zwei Momente in einem Akt,
möglich in der wechselseitigen, aber von Gott gestifteten daʿat.

Man mag nach dem Sinn dieser daʿat-Geschichte fragen und eine
bloße Ziehharmonika-Bewegung sehen: Die einer Vielheit - Israel -
gestiftete daʿat-Beziehung schrumpft zusammen zum Punkt des einen
wahren Gottessohnes, aber nur, um sich wie von selbst wieder aus-
zudehnen auf die vielen gläubigen Gottessöhne.

---

1) In hervorragender Weise gelingt es S.Kim, immer wieder diesen
   Aspekt des messianischen Werkes Jesu darzustellen (vgl. etwa
   S.36f.60ff.72ff.76.79ff seiner Studie).
2) Vgl. zur theologischen Auseinandersetzung des Paulus mit der

Dann aber wäre der entscheidende Einsatz in diesem Geschehen, die göttliche Liebestat, übersehen oder verkannt.

In der liebenden Hingabe seines Lebens heilt der Gottessohn nicht nur die vom Menschen zerbrochene da^{c}at-Beziehung Gott - Mensch, sondern ver-ewigt sie. Wie ich in "Die Verkündigung Jesu und Deuterojesaja" zu zeigen versuchte, sind Kreuz und Auferstehung Jesu konsequent von der (erotischen) Liebe Gottes als movens her zu interpretieren. Es ist eine Liebe, die im Sinne von Hos.11 und Röm.8,35-39 die Beziehung selbst um den Preis äußerster Schmerzen will, die sich im Leiden-und-sterben-Können "anstatt" der Geliebten (vgl. Mk.1o,45) erweist. Damit ist von Gott her eine ungleich stärkere Basis für die erneuerte da^{c}at-Beziehung geschaffen; denn dieser solchermaßen evidenten Liebe die Antwort zu verweigern, bedeutete ein stärkeres 'Ver-brechen'.

Gnosis in Korinth, die er unter Aufnahme apokalyptischen und gnostischen Sprachmaterials führt, M.Winter, Pneumatiker und Psychiker in Korinth, Marburger Theol.Studien 12, 1975.

15. Der letzte Grund des Widerspruchs Jesu

Woher nimmt Jesus das Recht (seine Zeitgenossen mögen gedacht
haben: die Frechheit), die Legitimität und den Wahrheitsgehalt
weithin anerkannter danielischer bzw. Daniel verpflichteter Offenbarung zu bestreiten?
Sofern es in einem weiter nicht nachweisbaren Offenbarungserlebnis und in einer Intimbeziehung zu Gott liegt, bleibt es naturgemäß dem exegetischen Zugriff entzogen.
Doch läßt sich zeigen, daß Jesus selber die erlebte Exklusivität
seiner Offenbarungsmittlerschaft unter Zuhilfenahme biblischer
Kategorien gedeutet hat.

a) Er bezieht sich auf die "eudokia" Gottes, seinen souveränen
Willen und Ratschluß: "Ja, Vater, so hat es dir gefallen."[1]
Für diese fast ekstatische Bekräftigung ist zunächst auf zwei
religionsgeschichtliche Voraussetzungen zu verweisen.
1. Daniel verkündigte einen Gott, der nach einem festgelegten
Plan die Weltgeschichte lenkt und kraft seines souveränen Willens das Ende herbeiführt; der Geschichtsablauf und das Ende
sind "beschlossen" (Dan.9,26f; 11,36; vgl. auch Lk.12,32 "eudo-
kēsen"). Das wirksame königliche Wollen Gottes wird im übrigen
wie das der Großkönige mit dem aram. "miṣbe" bzw. dem hebr.
"rāṣōn" bezeichnet.[2]
Wir hatten oben festgestellt, daß dieses Motiv des Danielbuches
in die apokalyptischen Dankgebete eingegangen ist[3]: Jesus hat an
eine übliche apokalyptische Denkform angeknüpft.
Aber er behauptet die Übereinstimmung mit dem souveränen Willen
Gottes gerade für die von ihm neu gesetzte Offenbarungswirklich-
keit, für seinen Wider-Spruch gegen die Apokalyptik. Dafür steht
das betonte "so (hat es dir gefallen)".

---

1) "nai ho patēr, hoti houtōs eudokia egeneto emprosthen sou".
   Hinter dem griechischen "eudokia" steht das hebräische "rāṣōn"
   (Wohlgefallen, souveräner Wille, freie Wahl, Beschluß).
2) Vgl. Koch, S.199
3) Siehe S.18ff. Vgl. auch Gal.1,15f.

Die Rabbinen präzisierten ein solches "so" im Kommentar zu
Ex.19,3 wie folgt:

> "So": in der Sprache des Heiligen. "So": in dieser
> Ordnung. "So": in dieser Art. "So": nicht mehr, nicht
> weniger.   -Mek.19,3, Lauterbach II, S.2o1, Z.4f

Bedeutung und Klangfarbe von Jesu "so" Mt.11,26 dürften dem entsprechen.

2. Jesus war gewiß vertraut mit der Gebetssitte seiner Volksge-
nossen. "In seinen persönlichen Bittgebeten pflegte schon damals
der Jude sich mit folgender Einleitungsformel an Gott zu wenden:
'Es sei der Wille [rāṣŏn] vor dir'"[1] Ein häufiger Abschluß jüdischer Gebete lautete ähnlich: "So geschehe Sein Wille, [ʾāmēn]".[1]
Er bekräftigte in der Regel Bitten um Erfüllung prophetischer
Verheißungen.

Der Lobpreis Mt.11,25f blickt gemäß einer 'Ordnung' schon des
atl. Tempelgottesdienstes, aber auch von Dan.2,17-23; 9 auf eine
entsprechende "t^{e}fillā" (Bittgebet) und anschließende Erhörung
zurück. Hatte diese vorauszusetzende "t^{e}fillā" Jesu die Verheis-
sungen Jes.29,14; 44,24b-26a bei Gott reklamiert? Waren sie ihm
durch intime Gebetszwiesprache gleichsam offenbarte Gewißheit
geworden?

> Darum will ich auch fernerhin
> mit diesem Volk da seltsam verfahren,
> seltsam und wundersam,
> und die Weisheit seiner Weisen[2] wird schwinden,
> und der Verstand seiner Experten[3] wird sich verbergen.
>   - Jes.29,14
> Ich bin der Herr, der alles gemacht hat,
> der den Himmel ausgespannt hat ganz allein,
> der die Erde gegründet hat, wer war bei mir?
> Der die Zeichen der Deuter zerbricht
> und die Wahrsager zu Toren macht,
> der schafft, daß die Weisen abziehen müssen,
> und ihr Wissen als Dummheit entlarvt,
> der das Wort seines Knechts in Kraft setzt.
>   - Jes.44,24-26

Die Bausteine dieser Prophetensprüche, in denen Jahwe ein umwäl-
zendes Handeln ankündigt, sind mithin identisch mit denen des

---

1) Vgl. Belege bei Flusser, S.265, Grimm, Der Dank, S.255, Anm.
   24; Schrenk, Art. "eudokia", ThW II 743. Beachte auch die
   Vaterunserbitte: "Dein Wille geschehe".
2) hebr.: "ḥ^{a}kāmīm"; griech.: "sophoi"
3) hebr.: "nebōnīm"; griech.: "synhetoi"

Lobpreises Jesu. Das Vokabular (die Weisen und Experten, die
Toren, der Herr des Himmels und der Erde, das Sich-Verbergen)
berührt sich eng mit dem der apokalyptischen Lobpreisungen.
Die Aussageabsicht steht konträr zu ihnen, deckt sich aber genau mit derjenigen des Lobpreises Jesu. Die natürlichste Annahme
ist: Jesus wußte die durch ihn vermittelte Offenbarung als ein
von Jesaja prophetisch angekündigtes Heilsgeschehen.
Daß Jesus beide Stellen zusammenziehen konnte, mag die Analogie
von 1.Kor.1,18-24 verdeutlichen. Hier wird in V.19 Jes.29,14
zitiert und klingt Jes.44,25 in V.2ob an. V.21 "hat es Gott gefallen" erinnert an Mt.11,26par. Offenbar hat Paulus die Jesusüberlieferung Mt.11,25-27 und Jes.29,14/ 44,25 zusammengeschaut
und mit diesem ihm vorgegebenen sprachlichen Material seine
Kreuzestheologie entfaltet.

b) Jesus spricht den Lobpreis also im Bewußtsein des Gottes-
knechts, durch den Gott seinen Heilsplan ankündigt und vollendet.
Als treuer Knecht ist Jesus gleichsam in die Geheimnisse des Hau-
ses Gottes eingeweiht. Schon Moses exklusive Offenbarungsmittlerschaft gründete in seinem Knecht- und Hausverwalter-Sein:

> Wenn unter euch ein Prophet ist,
> so gebe ich mich ihm im Gesicht [in der Vision] zu erkennen,
> im Traum rede ich zu ihm.
> Nicht so mein Knecht Mose:
> mit meinem ganzen Hauswesen ist er betraut.
> Von Mund zu Mund rede ich mit ihm
> und nicht in rätselhaften Worten. -Num.12,6-8. Vgl. Joh.9,29
>
> Und niemals wieder ist aufgetreten in Israel ein Prophet
> wie Mose: ihn kannte (jdᶜ!) Jahwe von Angesicht zu Angesicht
>
> - Dtn.34,1o

Mose, Knecht Gottes, hat mit Gott auf gleicher Ebene kommuniziert
direkt, auf Augenhöhe, so wie zwei Menschen "von Gesicht zu Gesicht" und "von Mund zu Mund" die intensivste personale Kommuni-
kation vollziehen. Ganz nahe an die Aussage Mt.11,27 kommt dabei Ex.33,12f, wonach Mose die wechselseitige "daᶜat" zwischen
Gott und Mittler erfleht hat.

Paulus erwartet nach 1.Kor.13,12 diese 'daᶜat' "von Angesicht zu
Angesicht" vom Eintritt des Eschaton, dann freilich nicht mehr
auf einen Offenbarungsmittler beschränkt:

Denn wir sehen jetzt gleichsam im Spiegel mittels
Rätselwort[1];
einst aber von Angesicht zu Angesicht.
Jetzt erkenne ich zum Teil,
einst aber werde ich erkennen,
wie ich erkannt bin.

Die Rezeption von Ex.33,12f; Num.12,6-8; Dtn.34,1o und Mt.11,27
wird kaum zufällig sein; sie entspricht der inneren Beziehung
von Mt.11,27 zu Ex.33,12f; Num.12,6-8; Dtn.34,1o.

c) Vor allem aber die Gottessohnschaft Jesu ist die geeignete
Kategorie, die Exklusivität seiner intimen Kenntnis des himmlischen Vaters zu begründen. Wir sahen, daß zum Sohn-Sein im über-
tragenen, religiösen Sinn ein besonderes Vertrautsein mit dem
Vater, eine exklusive 'Erkenntnis' des Herzens des Vaters gehört. Darum geht Jesus in Mk.13,32; Mt.11,27 notwendigerweise
von seiner messianischen Sohnschaft aus, die seinen Anspruch
begründen kann, in exklusiver Weise Träger und Vermittler himmlischer Geheimnisse zu sein.[2]

---

1) "di' esoptrou en ainigmati". Paulus verbindet das Spiegel-
Motiv mit dem Problem von Num.12,6-8, wo es in V.8 LXX heißt:
"dia ainigmatos".
2) Eine Bestätigung für die Annahme des messianischen Verständ-
nisses der Sohnschaft könnte man darin sehen, daß gerade die
messianischen Vater-Sohn-Stellen 2.Sam.7,14; Ps.89,27f die in
Mt.11,27 erkannte reziproke Struktur aufweisen.

II DIE EPIPHANIE DER KÖNIGSHERRSCHAFT GOTTES
   Eine Auslegung von Lk.17,2of

In Lk.17,2of ist uns eines der wenigen Logien überliefert, in
denen Jesus die eigene Auffassung von den Umständen des Kommens
des Gottesreiches scharf abgrenzt von zeitgenössischen Basileia-
Erwartungen. Die präzise Erfassung dieses Jesuswortes gibt uns
einen wichtigen Erkenntnisschlüssel in die Hand und öffnet uns
einen Zugang zur Basileia-Verkündigung Jesu.

> Nicht kommt die Königsherrschaft Gottes mit Vorzeichen-
>   Beobachtung;
> auch wird man nicht sagen: Sieh hier - sieh dort!,
> vielmehr (wird man sagen): Seht, Gottes Königsherrschaft
>   mitten unter euch!

Zunächst ist deutlich zu erkennen, daß Jesus in meisterhaft knap
pen Formulierungen zwei in verschiedenen Traditionen gründende
Basileia-Vorstellungen als unangemessen zurückweist.

1. Die Königsherrschaft Gottes kommt nicht mit Vorzeichen

Die Basileia kommt nicht mit "paratērēsis".
Das griechische Wort hat eine nicht geringe Bedeutungsbreite. In
derjenigen Bedeutung, die sich in die Gesamtaussage von Lk.17,2o
wohl am besten einfügt, meint es die (wissenschaftlich-astrolo-
gisch) genaue Beobachtung von Gestirnen.
Will man aber nicht gerade annehmen, Lukas habe ohne Vorlage
diesen Spruch selber in griechischer Sprache geschaffen (wogegen
mindestens der semitische Sprachcharakter der beiden anderen Satz
glieder spricht!), so stellt sich die Frage, welche hebräische
oder aramäische Wendung durch "meta paratērēseōs" wiedergegeben
ist.
Das Substantiv kommt in LXX nicht vor, wohl aber bei Aquila,
Symmachus und Theodotion in der Verbindung "nyx paratērēseōs",
womit sie in Ex.12,42 das hebräische "lēl šimmurīm" (die Nacht
des Wachens) wiedergeben. A.Strobel stellt nun fest, daß "paratērēsis" bei Aquila "geradezu für diesen Zusammenhang aufge-
spart sei", was für seinen Gebrauch als terminus technicus

spreche. (S.172) Dies führt ihn zu einer Deutung, die konsequent
die jüdisch-volkstümliche und urchristliche Erwartung des Messias
in der Passanacht (nach Ex.12,42) als Angriffsziel von Lk.17,2of
annimmt: Das Reich Gottes kommt nicht in der von Jahr zu Jahr
eingehaltenen 'Nacht der Beobachtung'.
Die Forschung ist A.Strobel darin nicht gefolgt. Mit Recht. Man
wird Lk.17,2of nicht auf diesen Sinn einengen dürfen; wäre eine
spezifische, mit der Passa-Nacht verbundene Messias-Erwartung
gemeint, so müßte doch wohl der ganze Ausdruck "nyx paratēreseōs"
dastehen; so aber ist für "meta paratēreseōs" eine weitere Bedeutung anzunehmen.
Insofern freilich glaube ich A.Strobel auf der richtigen Spur,
als er das Äquivalent zu "paratērēsis" in einer Substantivbildung
von der Wz. "šmr" gesucht hat. In der Tat finden sich schon im
AT einige Stellen, in denen "šmr" ein "Achtgeben", "Beobachten"
von bestimmten Phänomenen bezeichnet, z.B. eines prophetischen
Zeichens (Sach.11,11), aber auch des Kosmos und der Natur (Pred.
11,4; Jer.8,7; Hi.39,1). Der Berührungspunkt mit dem für Lk.17,
2of vermuteten Sinn liegt in der Intentionalität des Wahr -
nehmungsvorgangs: Man beobachtet in der Erwartung, daß etwas ein-
treten wird, und der Eintritt des Ereignisses wird bestimmte
Konsequenzen nach sich ziehen, sei es, daß man aus dem Wahrgenommenen schlußfolgernd etwas erkennt, sei es, daß man entsprechend handelt. Vielleicht geht "meta paratēreseōs" auf ein
"b^{e}šamōr" (b^e + Infin.abs.) in diesem Sinne zurück oder auf ein
"b^{e}šimmurīm"; aber auch eine andere Substantivbildung von Wz.
"šmr" oder auch von aram. "šgḥ" käme in Frage.

Wichtiger ist die Klärung, welcher Sachverhalt denn durch die
Vokabel bezeichnet wird, auf welche Art von 'Beobachten' das
verneinende Sätzchen denn näherhin zielt.
Nach wie vor hat die von vielen Auslegern bevorzugte Interpretation   das meiste für sich: Die "paratērēsis" bezeichnet den
ersten Schritt im Versuch, den Zeitpunkt des Erscheinens des
Messias bzw. 'das Ende' zu berechnen, und zwar, so ist zu prä-
zisieren, die Beobachtungsphase: man gewahrt im Ablauf der

Geschichte etwas Auffälliges, erkennt seine Übereinstimmung mit
einem Datum prophetischer oder apokalyptischer Weissagung und ha
so - wenn das Wahrgenommene in der Weissagung als eine Station
im Fahrplan der Heils- oder Weltgeschichte ausgewiesen ist - der
punctum mathematicum, den Termin des Endes zu errechnen.
Zahlreiche Belege für apokalyptische Spekulation dieser Art lege
nahe, Lk.17,2of als ein Wort hierzu zu verstehen.

Beschrieben ist der Vorgang einer "paratērēsis" präzise in Ant.
1o,277ff, freilich hier ohne ausdrückliche Ausrichtung auf das
Eschaton: Alles, was Gott Daniel "zeigte", habe dieser "aufgeschrieben"; man soll es "lesen" und das "Geschehende beobachten"
(skopein) und beides aufeinander beziehen; daraus erkenne man di
prophetische Würde Daniels und die göttliche Lenkung der Weltgeschichte.
In der Tat ist etwa Dan.12,11

> Von der Zeit an, in der man das tägliche Opfer abschafft
> und den unheilvollen Greuel aufstellt, sind es 129o
> Tage (vgl. 9,24-27)

eine die "paratērēsis" förmlich provozierende Schriftstelle.
Wer im Geschehensablauf den "unheilvollen Greuel"[1] beobachtet
und sicher identifiziert mit dem von Daniel Geweissagten, kann
den Endtermin exakt ausrechnen. Die 'Beobachtung', gemessen am
Danielbuch, ist also das Entscheidende. Das Danielbuch fordert
die "paratērēsis", und die "paratērēsis" ist streng auf die Weis
sagungen des Danielbuches bezogen.
Die markinische Apokalypse ist im Grunde als Anweisung und Anlei
tung zur "paratērēsis" im Sinne Daniels konzipiert:

> Sag uns, wann wird das geschehen
> und an welchem Vorzeichen wird man erkennen,
> daß das Ende von all dem bevorsteht?...

---

1) Im Danielbuch und 1.Makk.1,54; 6,7 dürfte damit der von den
   Syrern im Tempel aufgerichtete Götzenopferaltar gemeint, in de
   mkn. Apokalypse vielleicht auf das Vorhaben des Kaisers Caligu
   la, im Tempel ein Kaiserbild aufzustellen, angespielt sein.

> Wenn ihr...den 'unheilvollen Greuel' (Dan.9,27; 11,31;
> 12,11)[1] an dem Ort seht, wo er nicht stehen darf - der
> Leser merke auf! -, dann sollen die Bewohner von Judäa
> in die Berge fliehen.   - Mk.13,4.14

Man muß diese apokalyptische Beobachtung von Vorzeichen unterscheiden von einem andersartigen Beobachten der Zeichen der Zeit:

> Wenn ihr im Westen eine Wolke aufsteigen seht,
> sagt ihr sogleich, es gibt Regen.
> Und es kommt so.
> Und wenn der Südwind weht,
> dann sagt ihr: Es wird Gluthitze geben.
> Und es trifft ein.
> Ihr Heuchler! Das Aussehen der Erde und des Himmels
>   wißt ihr zu beurteilen.
> Warum könnt ihr nicht beurteilen,
>   welche Stunde dies ist?   - Lk.12,54-56[2]

> Lernt etwas aus dem Vergleich mit dem Feigenbaum!
> Sobald seine Zweige saftig werden und Blätter treiben,
> wißt ihr, daß der Sommer nahe ist.
> Genauso sollt ihr erkennen,
> wenn ihr dies alles geschehen seht,
> daß es nahe vor der Tür steht. - Mk.13,28-29

Ein Blick in die atl. Weisheit (Spr.25,23; Pred.11,4; Hi.39,1ff;
Jer.8,7; vgl. auch Spr.25,14; 1.Kön.18,44f) lehrt, daß hier von
einem Pädagogen aufgefordert wird, die Beobachtungsgabe zu ge-
brauchen und Analogieschlüsse zu ziehen. Aus immer wieder gleich-
artigen Abläufen im Alltag gewinnt der Mensch Wissen, sammelt
Lebenserfahrung. Solches Erfahrungswissen soll in einer vom
Schöpfer geordneten Welt auf andere Bereiche übertragen werden:
in den Sprüchen Salomos auf den moralischen, im Wort Jesu auf
den eschatologischen. Derartige Analogieschlüsse erfordern kein
apokalyptisches Spezialwissen und Offenbarung, sondern nur gesun-
den Menschenverstand. Endzeittermin und einzelne Details des
Endzeitkalenders sind damit nicht zu ermitteln. Wohl aber vermag
der weise Beobachter des Zeitgeschehens zu sehen, daß die Geschichte ihrem Ende zutreibt.
Die Sprüche von Mk.13,28f.31-36 bleiben m.E. auf dem Boden der
atl. Weisheit, überschreiten die Grenze der Geschöpflichkeit
nicht und stehen in keinem Widerspruch zur Eschatologie Jesu,
wie sie in Mt.11,25f und Lk.17,2of zur Sprache kommt. (Die in
Mk.13,4-2o.24ff an die Hand gegebenen apokalyptischen Vorzeichen
dagegen kann ich, gemessen an Lk.17,2of, nicht für jesuanisch

---

1) Siehe S.72 Anm.1.
2) Nach einem Teil der Handschriften hat Mt in 16,1-4 diesen
   Spruch mit der andersartigen apokalyptischen Zeichenfrage
   - sekundär - verbunden.

halten.)

Geradezu eine Inflation der das Ende signalisierenden Vorzeichen
bringt das 4.Esra-Buch (4,51-5,13; 6,12; 6,2o-24; 7,26; 8,63-
9,6; 13,3o-32; 14,8). Diese hier ausdrücklich so genannten Vorzeichen unterscheiden sich, sofern sie geschichtlicher Natur
sind, von ihren danielischen Vorläufern durch ihre geringere
Konkretion und mindestens weniger deutliche und jedenfalls nicht
explizite Schriftbezogenheit[1]. Es ist eher allgemein von Um-
wälzungen (5,5; 9,3), Zuspitzungen und Häufungen von Unrecht
und Gewalttat (5,1-3.1o) und Kriegen "Stadt gegen Stadt, Ort
gegen Ort, Volk gegen Volk, Reich gegen Reich" (13,3of) die Rede. Über Daniel hinaus führt 4.Esra aber eine neue Variante der
Vorzeichen ein, die, vorsichtig gesagt, in Unregelmäßigkeiten
in den kosmischen Abläufen bzw. in der belebten und unbelebten
Natur bestehen; man könnte in den meisten Fällen von über- und
widernatürlichen Ereignissen sprechen, wenn man den Natur-Begriff
für 4.Esra voraussetzen dürfte. Da dies kaum möglich ist, hat
man sie im Sinn des Apokalyptikers als äußerst ungewöhnliche,
gegen alle bisherige Erfahrung sprechende Vorkommnisse zu beurteilen. Z.B., so kündigt 4.Esra an, wird die Sonne bei Nacht und
der Mond bei Tag scheinen (5,4), von Bäumen wird Blut träufeln
(5,5), Steine werden schreien (5,5), Vögel werden auswandern
(5,6), das Tote Meer wird Fische hervorbringen und nachts brül-
len (5,7), das Feuer des Abgrunds wird für lange Zeit hervor-
brechen (5,8). Einjährige Kinder werden ihre Stimme erheben (6,
21). Im dritten Monat Geborene bleiben am Leben (6,21). Besäte
Felder bringen keine Früchte (6,22), volle Scheunen sind plötz-
lich leer (6,22), Wasserquellen stehen 3 Stunden still (6,24).

Das "Vorzeichen", das der Verfasser von syr.Apk.Bar den Erdbe-
wohnern für das "Ende aller Tage" an die Hand gibt (25,1-2),

---

1) Man kann hier wie auch in den entsprechenden Josephus-Noti-
   zen (siehe S.75f) mit O.Michel Einfluß "hellenistischer" Religiosität annehmen; vgl. seine detaillierte und differenzierende Darstellung in: Flavius Josephus, De Bello Judaico II 2,
   hg. von O.Michel/O.Bauernfeind, Darmstadt 1969, S.178-192.

entspricht Ankündigungen der synoptischen Apokalypse (vgl. Mt.
24,7-9.21.29):

> Wenn Entsetzen die Bewohner der Erde überfällt
> und sie in viele Drangsale[1] fallen werden
> und danach in übergroße Plage ...   - syr.Apk.Bar.25,3

Auf das Nachbohren des Sehers hin (26,1) präzisiert die Himmels-
stimme:

> In 12 Abschnitte ist jene Zeit geteilt,
> und jeglicher davon ist aufbewahrt für das,
> was für ihn vorgesehen ist. - 27,1

Jedem der 12 Zeitabschnitte ist dann im folgenden (27,2-13)
eine ihn kennzeichnende Schrecknis zugeordnet, an welcher man ab-
lesen kann, was die Stunde geschlagen hat[2].

28,1f beschließt dann diese Information mit der Feststellung:

> Ein jeder aber, der dies wohl versteht,
> wird alsdann weise sein.
> Maß und Berechnung jener Zeit werden in 2 Abschnitte
> zu teilen sein, die Wochen von je 7 Wochen sind.[3]

Ferner läßt sich die damals geradezu süchtig betriebene Vorzei-
chen-Beobachtung bei Josephus, Bell.1,332.377ff; 2,65o; 3,4o4;
4,623 und vor allem 6,285-315 studieren. Dort berichtet der
Historiker von einer ganzen Reihe von Vorzeichen, die man zum
Teil unmittelbar vor der Einnahme Jerusalems durch die Römer
7o n.Chr. während der großen jüdischen Feste beobachten konnte:
ein schwertähnliches Gestirn über der Stadt; einen Kometen, der
ein ganzes Jahr lang am Himmel blieb; ein großes Licht, das Al-
tar und Tempel eine halbe Stunde lang umstrahlte; eine zur
Schlachtstätte geführte Kuh, die mitten im Tempel ein Lamm warf;
das Osttor im Tempelbezirk, das sich nachts zur 6.Stunde selbst
öffnete; Lufterscheinungen mit Kriegsbildern und ein akustisches

---

1) "wlzn" = "thlipsis"
2) Sprachliche und inhaltliche Berührungen zur synoptischen Apokalypse lassen sich in den Motiven 'Unruhe', 'Erdbeben',
   'Hungersnot' und 'Spaltungen' feststellen; vgl. besonders Mt.
   24,7-8; Lk.21,11; Mk.13,5.8.
3) Vgl. weitere Vorzeichen in äth.Hen.99,4ff; Jub.23,22ff.

Phänomen "Laßt uns von hier fortziehen".

Die Berichte des Josephus vermitteln uns den Eindruck einer
hektischen Atmosphäre, in die Jerusalem damals stürzte; die Vor-
zeichen-Gläubigkeit trug wesentlich dazu bei. Josephus läßt
durchblicken, daß die Vorzeichen auf Schriftstellen bezogen wurden[1] und mehrdeutig waren und daß sich viele der "Weisen" irrten
(Bell.6,313). Insbesondere die grundsätzliche Frage, ob die
Vorzeichen Heil oder Unheil bedeuteten, blieb jeweils umstritten, was zu einer verschärften Polarisierung der Parteien führte. Insgesamt trieben die (mißverstandenen) Vorzeichen nach dem
Urteil Josephus' die Juden vollends in die Katastrophe, verlei-
teten sie diese doch zu ganz unrealistischen Lageeinschätzungen
und unangemessenen Handlungen, die den Untergang noch beschleu-
nigten.

Josephus selber hat nicht von einem apokalyptischen Standpunkt
aus berichtet; dem pragmatischen, am ehesten am Jerusalemer Tem-
pelkult interessierten Geschichtsschreiber, welchen er für den
höchsten Wert des Judentums hielt, ist kein eschatologisches
Denken zu unterstellen. Umso mehr deutet das in seiner Beurteilung (Bell.6,31o-315) vorkommende Vokabular: Vorzeichen, Weise
(apokalyptische Experten), Torheit, deuten, verstehen und Unver-
stand auf den apokalyptischen Hintergrund der geschilderten
Vorzeichen.

Die Art und Weise, wie durch die Mehrdeutigkeit der Vorzeichen
und willkürliche Deutungen der 'Weisen' eine heillose Verwirrung
und eine fatale Fehleinschätzung der realen Lage kurz vor dem
Fall Jerusalems entstand, läßt uns auch etwas vom inneren Grund
erahnen, aus dem Jesus in Lk.17,2ob den Wahrheitsgehalt der
"paratērēsis" schlichtweg bestritt. Das Moment der Erlösung,
welches in dieser Bestreitung liegt, dürfte ebenfalls deutlich
geworden sein.

In summa: Aus dem Streben nach Sicherung, hier gegenüber dem
Kommenden, hatte sich in apokalyptischen Kreisen eine regelrech-

---

1) Eine große Rolle scheint dabei eine "zweideutige Schriftstelle" (Num.24,15ff?,Gen.49,1o?, Dan.7,13f?) gespielt zu haben. Vgl. Bell.6,312.

Lehre von den Vorzeichen des Anbruchs der Gottesherrschaft ent-
wickelt. Die Vokabeln "siehe", "sehen", "wahrnehmen", "erkennen"[1]
spielen dabei eine tragende Rolle: Die "paratḗrēsis" gewahrt die
Übereinstimmung auffälliger Ereignisse der jeweiligen Gegenwart
mit einer Bekundung Gottes in der Schrift oder apokalyptischer
Prophetie; sie ermittelt die genaue Uhrzeit der Welt, indem sie
das aktuell Geschehende in den von den Propheten visionär erfah-
renen zielgerichteten Plan der Weltgeschichte als präzisen Punkt
einzeichnet.
Jesus bescheinigt dieser "paratḗrēsis" lapidar die Vergeblichkeit
ihres Mühens.

---

1) Vgl. z.B. 4.Esr.5,1.4; 7,26; 9,1.2.4.

2. Die Königsherrschaft Gottes kommt nicht mit Zeichen

In V.21a - zweites Glied eines synthetischen Parallelismus
membrorum - setzt Jesus sich mit einer Heilserwartung auseinande
die in anderer Weise den Anbruch der Basileia (mit)bestimmen wil
Richtet sich bei den Daniel verpflichteten Apokalyptikern die
"parateresis" auf die Zeit, so könnte man hier von einer starker
Aufmerksamkeit auf die 'Orte' sprechen.
Jesus spielt vielleicht auf eine aktuelle Redeweise an, die ihre
Wurzeln im AT hat. Als Jerobeams Sohn Abija schwer erkrankte,
schickte der König seine Frau zum Propheten Ahija:

> Mach dich doch auf...und geh nach Silo,
> und siehe, dort ist der Prophet Ahija.

Er soll prophetisch kundtun, was mit dem Knaben geschehen wird.
(1.Kön.14,2) Die Redeform "Siehe,dort...der Prophet!" macht in
einer von gespannter Erwartung gekennzeichneten Situation aufmer
sam auf den Ort, wo ein Prophet kraft seiner Vollmacht mit hell
seherischem Wort die Not der Ungewißheit beenden wird.

"Siehe, dort...", so leiten nun in ntl. Zeit ungeduldige
Aktionisten, nach ihrem Selbstverständnis messianische Erlöserge
stalten, ihre Aufrufe ein, mit denen sie ungeniert auf sich
selbst verweisen: Dort in der Wüste, am Jordan, am Garizim, an
den Mauern von Jerusalem, am Ölberg und an anderen heilsträchtigen Orten wollen sie die Zeichen der (eschatologischen) Rettung
zeigen.[1] Den von Jesus in der Kürzel "Sieh hier, sieh dort!" zi-
tierten Aufrufen eschatologischer Befreier oder ihrer Anhänger
entsprechen im Geschichtsbericht des Flavius Josephus die

---

1) Ant.18,85-87; 2o,97-99;
   Ant.2o,167f = Bell.2,258-26o;
   Ant.2o,169-172 = Bell.2,261-263;
   Ant.2o,185-188; Bell.6,285; 7,437-442.
   Nach M.Hengel, der auch auf Lk.21,8 hinweist, handelt es sic
   in all diesen Geschehnissen um einen (messianisch-eschatolog:
   schen) "Ruf in die Nachfolge". Vgl. dazu das "keleuein" der
   Pseudopropheten Ant.18,85; Bell.6,285 und das geforderte
   "hepesthai" Ant.2o,97.167.188 bzw. "akolouthein" Ant.2o,188.

- referierten - Versuche eben solcher Leute, eine möglichst große Zahl von Menschen zu den vorher bezeichneten Stellen hinauszuführen.[1]

Der in Bell.2,259-260 berichtete Vorfall kann als typisch gelten:

> Sie waren nämlich Irreführer und Betrüger, die unter dem Vorwand göttlicher Eingebung Unruhe und Aufruhr hervorriefen und die Menge durch ihr Wort in dämonische Begeisterung versetzten. Schließlich führten sie das Volk in die Wüste hinaus - dort wolle ihnen Gott Zeichen der Freiheit zeigen. Auf Felix[2] machte dies den Eindruck, als handle es sich um den Anfang eines Abfalls, er sandte deshalb Reiter und Schwerbewaffnete aus und ließ eine große Menschenmenge töten.

Inszeniert werden sollte hier die Wiederholung der klassischen Exodus-Wunder unter Mose, und zwar als "semeia" (Zeichen), die das Von-Gott-Gesandt-Sein ihrer Urheber beweisen und sie als endzeitliche Befreier 'wie Mose' ausweisen würden. Die Zeichenwunder geschehen in der Absicht, zum (begründeten) 'Glauben' an die Sendung des endzeitlichen Propheten zu führen. (Genau dieselbe Struktur eignet ja den johanneischen, ausdrücklich als "semeia" konzipierten Wundern[3].) Die biblische Basis ist eindeutig Ex.4,1-9; 7,9; 10,1-2; Dtn.26,8, die Beglaubigungswunder des Mose: die Geschichte der 'ersten Erlösung' Israels aus Ägypten hatte damit begonnen, daß Mose mit "semeia" seine Legitimität nachwies und bei seinen Landsleuten 'Glauben' an seine Sendung weckte.

Über das Sebstverständnis dieser Wundertäter sagen uns die Berichte des Josephus naturgemäß nichts. Man wird aber nicht fehlgehen, aus der Art der Wunder und den immerhin mitgeteilten Selbstbezeichnungen zu erschließen, daß ihnen Dtn.18,15(-18)

> Einen Propheten wie mich wird dir Jahwe, dein Gott, aus deiner Mitte, unter deinen Brüdern, erstehen lassen. Auf ihn sollt ihr hören

den Schriftgrund gab.

So habe der Betrüger Theudas, selbsternannter 'Prophet', unter der Amtszeit des Prokurators Fadus (ab 44 n.Chr.) eine große Menschenmenge zum Jordan gezogen mit dem Versprechen, daß sich auf seinen Befehl der Jordan spalten werde und ein "leichter Durchgang" möglich sei. (Ant.20,97-99). Die Analogie zu Ex.14; Jos.3

---

1) Siehe S. 78 Anm.1.
2) Prokurator 52-60 n.Chr.
3) Joh.2,11.18; 2,23; 3,2; 4,48.53f; 6,2.14; 7,31; 9,16; 11,47f; 12,18; 20,30f.

springt in die Augen.

Schon ein Vorkommnis aus der Zeit des Pilatus verweist auf Mose:
Ein Samaritaner heißt die Leute auf den Garizim gehen, wo er ihnen die "dort vergrabenen Geräte des Mose" (=Ex.25-31; 35-4o?)
zeigen[1] wolle. (Ant.18,85f)

Der Pseudoprophet aus Ägypten (zwischen 6o und 62 n.Chr.; vgl.
Apg.21,38: Paulus wurde mit ihm verwechselt) sammelte nach Josephus 3oooo (!) Leute um sich, die er "aus der Wüste" auf den Je
rusalemer Ölberg führte in der Absicht, die römische Besatzung
aus Jerusalem hinauszuwerfen. Während Bell.2,262 unterstellt,
die bewaffnete Schar sei drauf und dran gewesen, in Jerusalem ge
waltsam einzudringen[2], berichtet Ant.2o,17o von der Verheißung
des Propheten aus Ägypten, die Mauern Jerusalems würden auf seinen Befehl wunderbar "fallen", ihnen einen "Einzug" zu bereiten,
also eine endzeitliche Wiederholung von Jos.6,5.2o.

Als Jerusalem schon brannte, trat wiederum ein "falscher Prophet
auf und "verkündigte", man solle zum Heiligtum hinaufziehen und
"die Zeichen der Rettung erwarten"[3] (Bell.6,285).

Noch im Jahr 73 n.Chr. "verleitete" der Weber Jonathan viele "Ar
me" unter den Juden in Kyrene und führte sie in die Wüste, um ih
nen dort "Zeichen und Erscheinungen" zu zeigen. (Bell.7,437f)

Gemeinsam ist nun diesen sich von der biblischen Exodus-Heilsge-
schichte her verstehenden Befreiungsbewegungen mit theologischen
antirömischen und sozialen[4] Beweggründen das Bestreben ihrer Ini
tiatoren, eine möglichst große Menge Bewaffneter um sich zu scha
ren. Dafür sind die Beglaubigungswunder unverzichtbar. Man wird
auch eine Verbindung aller dieser (zelotischen) Aktivitäten nich
nur mit dem 1.Gebot, sondern auch mit der Erwartung einer endzeitlichen Aufrichtung der Königsherrschaft Gottes annehmen dürfen.[5]
Gemeinsam ist ihnen auch der schließliche Mißerfolg. Zwar ver-
fehlt das Semeion-Versprechen seine Wirkung nicht; die Masse wir
mobilisiert. Was Jesus nach Joh.6,14f vermeidet, gelingt zunächs
Aber der Geschichtsverlauf bestätigt die falschen Propheten nich
Unter den brutalen römischen Konterattacken, von Pilatus, Fadus,
Festus prompt eingeleitet, brechen die 'messianischen' Bewegunge
vorzeitig zusammen. Ihre Führer entziehen sich, wenn noch möglic
der Verantwortung und ähneln den schlechten Hirten von Joh.1o,12

---

1) griech. "deiknynai"; gehört zum "sēmeion"-Wortfeld; vgl. Bell
2,259; 6,285; 7,438; Ant.18,85; 2o,168ff; Joh. passim; 4.Esr.
13,5o: "Dann wird er [der Messias] ihnen noch viele große Wunder zeigen"; Mt.16,1. Der Ursprung der Wendung liegt vielleicht
im sinnähnlichen Ex.7,8f.
2) griech. "biazesthai"; vgl. Mt.11,12.
3) griech. "dexomenous ta sēmeia tēs sōtērias". Das Verbum ist
das auch in Lk.2,25; Mk.15,43 verwendete.
4) Vgl. Bell.2,117f.425-429; 4,138ff.147ff.5o8.513.56o; 7,438.
5) Vgl. Bell.1,649ff; 2,117-119; Ant.18,2-1o.23-25 mit Sach.14,9
und dazu S.53.
Siehe auch Hengel, S.23-27.

(vgl. Ant.2o,172).

Kein Wunder, daß Josephus sie "falsche Propheten", "Räuber",
"Betrüger", "Verführer" schimpft. Sein Urteil ist gewiß mit Hilfe
des Maßstabs von Dtn.18,22 gewonnen: Wenn das, was der Prophet
verkündigt, nicht eintrifft, so ist seine Botschaft nicht Wort
Jahwes und in Vermessenheit gesprochen. Dtn.13,2ff berechtigte
gar, den erfolgreichen Propheten eines gelungenen Zeichenwunders
als Verführer zum Götzendienst und damit als todeswürdigen Ver-
brecher zu beurteilen.
Josephus mag dieses Urteil im Nachhinein recht leicht gefallen
sein, zumal ihm seine priesterliche Herkunft ohnehin kaum Sym-
pathien für diese Art von Propheten gestattet haben dürfte.

Jesus hat - in der Linie des Deuteronomiums - vor den Zeichen
und Wundern falscher Propheten drastisch gewarnt und sie für seine Person als Mittel der Beglaubigung - ihre primäre Funktion! -
kategorisch abgelehnt (Mk.8,11f). (siehe unten)

Die formale Parallele der von Josephus berichteten sēmeia-Wunder
zu den "sēmeia" des Mose (Ex.4,1-9.3of) ist deutlich. Inhaltlich
ist eine Verschiebung festzustellen; die "sēmeia" der 'Propheten'
wollen ja Typologien nicht der mosaischen Beglaubigunswunder,
sondern der großen Rettungswunder der Mose-Josua-Zeit sein:
Schilfmeerdurchzug, Wüstenwunder, Fall der Mauern von Jericho.
Was damals viel mehr als Beglaubigungswunder war, nämlich die
'Rettung' selbst, wird nun eher als - stimulierendes - Vorspiel
der vermeintlichen Befreiung angestrebt.
Das Zeichen ist für die falschen Propheten der Josephus-Berichte
nicht mehr mit einem wunderbaren Vorgang an sich identisch, sondern liegt in der Übereinstimmung von urzeitlichem und endzeit-
lichem Wunder. Diese Übereinstimmung spiegelt sich auch in der
Sprache, in der Josephus die Mose-Zeichen und die Zeichen der
späteren Preudopropheten stereotyp referiert: Die Zeichen werden
"gezeigt", geschehen nach dem Ratschluß Gottes, sollen zum Glauben führen, daß der Wundertäter von Gott 'gesandt' ist.

Auch im NT werden Wunder in typologischer Entsprechung zu den
Wundern der Mosezeit erzählt; dabei heben die Synoptiker im Sturm-
stillungs-, Seewandel- und Speisungswunder (Mk.4/6 par.) freilich
viel stärker den Theophanie- und Heilscharakter hervor und berich-
ten von keiner politischen Zielsetzung oder Wirkung. Die Gotteser-
fahrung ist viel intensiver als in einem "sēmeion", unmittelbar
zwingend. Die politische Komponente fehlt. Dabei muß man sagen,
daß diese Konzeption dem irdischen Jesus entspricht, der sich er-
barmend dem einzelnen notleidenden Menschen zuwandte, niemals die
Initiative zu einem "sēmeion" ergriff, als müßte er sich damit bestätigen, der vielmehr auf die Bestätigung von Gott her wartete.
Die synoptischen "Aufleuchtungswunder" (Betz/Grimm, S.77ff) be-
deuten eine solche Bestätigung von Gott her: Gott läßt seine
Herrlichkeit an Jesus aufscheinen.

Darauf, daß Jesus im Spruch Lk.17,2of, zweites Glied, Befreiungsbewegungen der von Josephus geschilderten Art im Visier hat,
weist zunächst schon sprachlich das charakteristische hinzeigende

"dort!" bei Jesus und im Josephusbericht Bell.2,259-26o.

Eine zweifelsfreie Bestätigung liefern innerhalb der sogenannten
synoptischen Apokalypsen die Warnsprüche Mt.24,4f.11.23-27[1]:

> Seht zu, daß euch keiner in die Irre führt.
> Viele werden kommen in meinem Namen und sagen:
> Ich bin der Christus, und werden viele in die Irre führen..
>
> Und viele Pseudopropheten werden aufstehen
> und werden viele in die Irre führen...
>
> Wenn dann einer euch sagt: 'Siehe, hier der Christus,
> oder: dort! - glaubt nicht!
> Es werden nämlich aufstehen Pseudochristusse und
>   Pseudopropheten,
> und sie werden geben große Zeichen und Wunder,
> um, wenn möglich, auch die Auserwählten irre zu führen.
> Siehe, ich habe es euch vorausgesagt!
> Wenn sie also euch sagen: Siehe - in der Wüste,
>   geht nicht hinaus!,
> siehe - in den Kammern,
>   glaubt nicht!
> Denn wie der Blitz im Osten hervorbricht
> und bis zum Westen leuchtet,
> so wird das Kommen des Menschensohns sein!

Sie entfalten das "siehe hier, siehe dort!" von Lk.17,2of ebenso wie die dort als Antithese gesetzte Epiphanie des Eschaton.
Dabei erinnern nun zahlreiche Wendungen, Vorstellungen und Wer-
tungen besonders stark an die Josephus-Berichte: die "sēmeia"
und "terata" (vgl. Ant.2o,168; Bell.2,259; 6,285; 7,438), die
Absicht, "Glauben" zu wecken (vgl. Bell.2,261), die Bezeichnung
"Pseudopropheten"(vgl.Ant.2o,97.169; Bell.2,261;6,285),die Beurteilung ihres Tuns als "planān" = "irreführen" (vgl. Bell.2,259!;
ähnliche Ausdrücke passim) und der Ort des Geschehens: die Wüste
(vgl. Ant.2o,167; Bell.2,259.262; 7,438).

Der zeitgeschichtliche Hintergrund von Lk.17,2of, zweites Glied,
ist damit geklärt. Zwar beziehen sich die von uns angeführten
Notizen und Berichte des Josephus auf Geschehnisse nach 4o n.
Chr., doch zeigt allein schon das Beispiel von Judas dem Gali-
läer 6 n.Chr. (Bell.2,117-118; Ant.18,2-1o.23-25), den M.Hengel
mit Recht in die Reihe der messianischen Propheten stellt[2] und

---

1) Vgl. im NT noch Mk.13,21-26; Joh.6,14f; 7,45-48; 1o,8ff;
  11,47ff; Apg.5,34ff; 21,38ff.
2) S.23-27

den Apg.5,36-39 in größter Nähe zu Theudas sieht, daß hier eine
zelotische Heilserwartung von der Zeitenwende bis zum Fall Jerusalems und darüber hinaus immer wieder gleichartig strukturierte
Aktivitäten ausgelöst hat.
Das jesuanische "sieh hier - sieh dort" ist also der sprachlich
geniale Inbegriff der vielen Hin-Weisungen und Hin-Führungen zu
den heilsträchtigen Orten, an denen nach den Josephus-Berichten
auch tatsächlich "sēmeia" inszeniert wurden. Jesus hat ihnen in
lapidarer Kürze das Urteil gesprochen.(Mk.8,11f; Lk.17,2of)

EXKURS Zeichen - drei Bedeutungen eines biblischen Begriffs

Im Interesse der Sprachregelung und eines präziseren Erfassens
differenzierter Sachverhalte sei darauf hingewiesen, daß der biblische Zeichenbegriff 3 einander nur berührende verschiedene Wun-
dertypen umgreift.
Die in V.21a gemeinten Zeichen: von Aktionisten inszenierte Beglaubigungswunder sind von den zu beobachtenden Vorzeichen der
apokalyptischen "paratērēsis" grundsätzlich zu unterscheiden,
auch wenn es Berührungspunkte gibt und die Grenzen fließend
sind. Die Vorzeichen werden unmittelbar vom Himmel gegeben und
lassen sich oft am Himmel beobachten (vgl. Lk.21,11; Mt.24,3o;
16,1 (?); Apk.12,1.3; 15,1). Sie beziehen sich auf apokalyptisch
verstandene Weltgeschichte, während die Beglaubigungswunder die
klassisch-prophetische Exodustradition Israels verlebendigen.
Der Begriff "sēmeion" deckt im AT und NT noch eine dritte Art
von Zeichen ab, die man das 'angekündigte Bestätigungszeichen'
nennen könnte[1]; meist wird dadurch ein verheißendes Gottes- oder
Engelwort bekräftigt. Es dient - anders als ein Beglaubigungs-
zeichen, das im Interesse des unter Legitimationszwangs stehen-
den Zeichengebers geschieht - der Vergewisserung und Stärkung
eines Menschen, der eine Verheißung oder Weisung empfangen hat,
aber noch zögert, der Botschaft zu glauben. Der Wundercharak-
ter des Bestätigungszeichens besteht nicht unbedingt und primär im Vorgang als solchem, sondern im Eintreffen und So-Sein
eines zuvor Angesagten. Am extremen Beispiel von Ri.6,36-38/
39-4o erkennt man den inneren Sinn eines Bestätigungszeichens:
Gideon unterliegt einem Wiederholungszwang; er fordert nach dem
ersten erhaltenen noch ein zweites Zeichen, um gewiß zu werden,
daß Gott Israel wirklich durch ihn retten will.

---
[1]) Gen.15,8-11; 24,12-14; Ri.6,17ff.36ff; 1.Sam.2,34; 1o,7;
2.Kön.19,29; 2o,9ff; Jes.7,14; 37,3o; 38,7ff; Lk.2,12; Mk.
11,2-6; 14,13-16; Joh.2,18-22 u.a.

3. Die Königsherrschaft Gottes wird evident in eurer Mitte sein

Jesus erklärt also in Lk.17,2of zwei gewiß von einer Mehrheit
des Volkes als seriös empfundene Erwartungshaltungen in bezug
auf das Kommen der Basileia für unangemessen.

Beide stellen sie, wie wir sahen, Versuche des beweissüchtigen
und sicherungsbedürftigen Menschen dar. Der Mensch will die Basi
leia gleichsam in den Griff bekommen, im Falle der "paratērēsis"
primär erkenntnismäßig, im Falle der Pseudopropheten und ihrer
Zeichen und Wunder 'hier und dort' aktivistisch durch Manipula-
tionsversuche am Geschichtsablauf.
Die Apokalyptiker erwarten das Ende und die neue Welt durch eine
machtvolle Intervention Gottes; ihren Zeitpunkt wollen sie par-
tout wissen, weshalb sie Gott in den Fahrplan zu schauen versu-
chen. (Daß durch ihre Zeitberechnungen unter Umständen, z.B. in
Jerusalem z.Z. des 'Jüdischen Kriegs', messianische Aktivitäten
ausgelöst oder angeheizt werden, liegt zwar in der Natur der Sache, nicht aber unbedingt in der Absicht der apokalyptischen
Weisen!)
Die Semeia-Wundertäter wollen sich des endzeitlichen Heils auf
andere Weise versichern; sie 'drängen' in die Basileia (vgl.
Mt.11,12), als deren Voraussetzung sie vor allem die geschichtlich zu erkämpfende Befreiung des heiligen Volkes vom Römerjoch
und als deren Hauptinhalt sie die gerechte Weltherrschaft Gottes
bzw. des Messias Israels sehen.
Beide von Jesus für nichtig erklärte Geistes- und Erwartungshaltungen standen, um es noch einmal zu betonen, in hohem Ansehen,
gehörten gleichsam zum religiösen guten Ton (vgl. auch Weish.8,
7f).

Jesu Verdikt über die beiden renommiertesten Basileia-Erwartunge
mußte als Provokation erscheinen.

Aber welche Basileia-Hoffnung setzt Jesus dagegen?

Sein Lehrspruch ist durch dreigliedrigen Parallelismus 'nicht -
auch nicht - vielmehr' strukturiert. Der Sinngehalt des dritten

Gliedes, ein wichtiges Moment des jesuanischen Basileia-Verständ

nisses wurde mir im Wahrnehmen des atl. Hintergrundes klar. Die

prophetische Gottesherrschaft-Verheißung von Zeph.3,14-2o trägt

die These Jesu Lk.17,21b.

In der folgenden Übersetzung sind die Berührungspunkte mit

Lk.17,21b hervorgehoben:

14 Juble, Tochter Zion, jauchze Israel!
   Freue dich und frohlocke von ganzem Herzen, Tochter Jerusalem!
15 Jahwe hat deine Widersacher entfernt,
   hat weggefegt deine Feinde.
   König (wird sein) [(j)mlk[1]] Jahwe in deiner Mitte [b^{e}qir b$\bar{e}$k [2]];
   nicht siehst du noch Unheil.
16 An jenem Tag wird man sagen [jē'āmēr] zu Jerusalem:
   Fürchte dich nicht, Zion,
   laß deine Hände nicht sinken!
17 Jahwe, dein Gott, ist in deiner Mitte [b^{e}qirb $\bar{e}$k],
   ein Starker rettet.
   Er jubelt über dich in Freude,
   er erneuert seine Liebe,
   jauchzt über dich mit Jubel
   wie am festlichen Tag.

Als konkrete Elemente der Erlösung werden dann genannt: Aufhe-
bung der Schmach, Rettung des "Hinkenden" aus der Bedrückung,
Sammlung der Versprengten und Wendung des Geschickes (V.18-2o).
Die Verheißung liest sich wie eine Ankündigung der messianischen
Taten Jesu.
Dies gilt in besonderer Weise auch für V.17. "Ein Starker
rettet" erinnert an den Jesusnamen und an das Prädikat, das der
Täufer Jesus gegeben und dieser indirekt beansprucht hat (Mk.1,7;
3,27; Lk.11,21f). V.17b, die hochzeitliche Freude und Liebe,
klingt in der Jesusüberlieferung mehrfach an (vgl. vor allem Mk.
2,19; Lk.15,6f.22ff). Die Häufigkeit der Berührungen läßt sich
kaum mehr auf Zufall zurückführen; Jesus hat offenbar eine besondere Beziehung zu Zeph.3,14-2o gehabt.

Daß Jesus sich gerade im Lehrspruch Lk.17,2of auf Zeph.3,14ff
stützt, halte ich aufgrund des sprachlichen Vergleichs für aus-
reichend gesichert.

1) Siehe BHS. Einige Handschriften der Septuaginta haben "basileu-
   sei" = "[Gott] wird als König herrschen".
2) "Hebrew New Testament" der United Bibel Societies (1976) über-
   setzt das "entos hymōn" von Lk.17,21 zurück in "b^{e}qirb^{e}käm".

Das Prophetenwort Zeph.3,14ff stellt der Form nach eine Aufforderung zum Jubel dar über das Offenbarwerden der <u>Königsherrschaft</u> <u>Gottes</u> (V.14f). "entos hymōn" in Lk.17,21b ist exakte, sinnerhaltende Wiedergabe des dortigen zweimaligen "b^eqirb ēk". Der Wechsel vom singularischen "in deiner Mitte" zum pluralischen "in eurer Mitte' hat nichts Befremdliches, wenn man bedenkt, daß das Deuteronomium Israel gleichbedeutend mit 'du' und mit 'ihr' anreden kann.
Selbst der eher nebensächliche Zug, daß man "an jenem Tag" zu Jerusalem "sagen wird" (V.16 "jē'āmēr"; LXX:"erei"), scheint sich in dem "erousin" von Lk.17,20f zu spiegeln.

Daraus ergeben sich zunächst Konsequenzen für die Beurteilung der sprachlichen Gestalt und der Syntax von Lk.17,20f sowie für die Gretchenfrage der Gegenwärtigkeit oder Zukünftigkeit der Basileia. (Da Jesus vermutlich Hebräisch oder Aramäisch gesprochen hat, besagt das "estin" von V.21b darüber nichts; denn das Hebräische verfügt über keine das Tempus fixierende Copula.)
1. "idou gar" Lk.17,21b ist auf ein hebr. "ki hinnē" zurückzuführen. In diesem Zusammenhang bedeutet "ki" nicht ein begründendes "denn", sondern ein den Gegensatz markierendes, bekräftigendes "vielmehr". (deiktische Funktion)
2. Wahrscheinlich ist "erousin" ("man wird sagen") gemäß Zeph. 3,16f auch im dritten Glied mitgedacht: "vielmehr: Man wird sagen: Siehe , Gottes Königsherrschaft in eurer Mitte!"
3. Das so verstandene "erousin" ebenso wie das streng eschatologische "an jenem Tage" (Zeph.3,16) macht wahrscheinlich, daß Jesus in Lk.17,20f das zukünftige Ereignis der letzten Offenbarung der Königsherrschaft Gottes, und nicht ihre Anfänge in seinem Wirken, im Auge hat[1]. Überhaupt: Ein Hinweis auf (proleptische) Anfänge der Basileia in dem, was durch Jesus geschieht, wäre keine ernsthafte Antwort auf die Wann-Frage der "paratērēsis", die ja, wie gesehen, auf das <u>absolute</u> 'telos' der Weltgeschichte zielt!

---

1) mit Bultmann, S.128, und Jeremias, S.1o3ff - gegen die Mehrzahl der heutigen Ausleger.

4. Der Gegensatz in der Antwort auf die Frage nach den Umständen des Kommens der Basileia ist also ein anderer: Die Basileia wird nicht so kommen, daß man ihren Termin aus beobachtbaren Vorzeichen errechnen könnte oder daß beweiskräftige und signalisierende Zeichen vorausgingen, sondern so, daß sie urplötzlich da sein wird mitten unter den Menschen, so, daß niemand mehr etwas zu fragen oder nachzurechnen hat[1]. Für diese Interpretation spricht im übrigen auch die klare Parallele von Lk.17,23f. Der schöne Vergleich vom aufstrahlenden Blitz liegt durchaus in der Fluchtlinie der prophetischen Basileia-Erwartung Zeph.3,14ff (vgl. auch Jes.33,17-24; 52,7). Die Basileia setzt blitzartig, alles durchstrahlend und klärend ein. Jesus stellt ihr Kommen als plötzliches, unvermitteltes Epiphanieereignis in Aussicht, bei welchem sich Berechnung und Glauben (!) erübrigen: "siehe!", "in deiner Mitte!", "kein Unheil mehr!", fürchte dich nicht!"

Damit ist an einer bestimmten Stelle ein Element der Jerusalemer Zionstheologie, wie sie viele Stimmen im AT hat[2], in die Verkündigung Jesu integriert und dienstbar gemacht.
In diese Zionstheologie, die Jahwe als König in der Mitte Jerusalems weiß, war uralte Heilserfahrung Israels eingegangen: In der Heiligen Lade schon war Jahwe gegenwärtig 'in der Mitte Israels' geglaubt worden[3]. So haftet die Wendung "in deiner [Israels] Mitte" letztendlich an der Bundeslade und beinhaltet die Eindeutigkeit der Präsenz Jahwes und seine geschichtlich wirksame Retterkraft.
Die nicht unumstrittene Heilsprophetie, die in Mi.3,11 ironisch zitiert, in Am.5,17f ins Gegenteil verkehrt, in Zeph.3,15; Sach. 2,9.14f aber in einer neuen Situation wieder - in etwa mit den von Micha höhnisch nachgeäfften Worten! - in Kraft gesetzt wird, hat offenbar diese heilvolle Gegenwart Jahwes 'in Israels Mitte' am Zion, und zwar in einer endgültigen Weise am 'Tag Jahwes'

---

1) Vgl. Joh.16,23: "An jenem Tag werdet ihr mich nichts mehr fragen."
2) z.B. Ps.46; Sach.2,9.14f; Mi.3,11; vgl. auch Jes.24,23; 25,9; 33,17-24
3) Ex.17,7; Dtn.7,21; Jos.3,5.1of; 1.Sam.4,3f; vgl. Hos.11,5.9

erwartet. Man vergleiche dazu noch in der dritten Vision Sacharjas 2,9 (es geht um das neue Jerusalem)

> Und ich selbst werde für es, Spruch Jahwes,
> eine Feuermauer sein
> und zur Herrlichkeitserscheinung in seiner Mitte

und anschließend 2,14f

> Juble und freue dich, Tochter Zion,
> denn, siehe, ich komme[1]
> und wohne in deiner Mitte,
> Spruch Jahwes.
> Und viele Völker werden sich anschließen
> an Jahwe an jenem Tag
> und werden ihm zum Volk werden,
> und ich wohne in deiner Mitte.

Es ist mir wahrscheinlich, daß der schriftkundige Hörer Jesu,
wenn ihm die Basileia "mitten unter euch" angesagt wurde, an diese at.liche Glaubens- und Hoffnungsgeschichte erinnert war.
Gleichermaßen aber verdient Beachtung, wie Jesus im Rückgriff
auf Zeph.3,14ff nicht sämtliche Elemente der Zionstheologie seiner Botschaft einverleibt hat, sondern speziell den Punkt der
fraglosen Gegenwart Gottes, des offenbaren König-Seins Gottes
"an jenem Tag", und zwar gegen die zwanghaften Versicherungs-
strategien des Menschen, nicht gegen die völkischen Feinde des
Gottesvolks.
Dieser von Jesus in seiner Lehraussage Lk.17,2of anvisierte
Aspekt der Zionstheologie ist im folgenden noch zu verdeutlichen.

Zeph.3,14ff als Interpretationsrahmen von Lk.17,2of gibt dem
Jesusspruch diesen Akzent: Die Königsherrschaft Gottes kommt
evident, fulminant und vehement; sie leuchtet unvermittelt auf
und schlägt durch.

Von Rabbi Elieser (ca. 1oo n.Chr.) ist uns in der Mekilta eine
Auslegung zum Mirjamlied Ex.15,2 überliefert. Sie beleuchtet
aufs schönste, worum es Jesus in Lk.17,2of geht. Rabbi Elieser
demonstriert mit seinem gelungenen Gleichnis Jahwes Als-König-
offenbar-Werden bei der ersten Erlösung. Es war so evident,

---

1) Vgl. Lk.17,2o!

daß kein Zweifel, sondern nur der rühmende Lobpreis blieb:

> 'Dies ist mein Gott, und ich will ihn rühmen'. Rabbi Eli-
> eser sagt: Woraus kannst du schließen, daß eine Magd am
> Meer gesehen hat, was weder Jesaja noch Ezechiel gesehen
> haben oder sonst einer der Propheten?
> Daraus, daß es über diese heißt: 'Und durch die Propheten
> spreche ich in Gleichnissen ['dmh] ' und geschrieben steht:
> 'Es öffneten sich die Himmel und ich sah Visionen Gottes.'
> Um dafür ein Gleichnis zu geben: Wem ist die Sache ähn-
> lich?[1] Einem König von Fleisch und Blut[2], der in eine
> Stadt zog, ein Kreis von Menschen umgab ihn, seine Helden
> rechts von ihm und links von ihm, seine Soldaten vor ihm
> und seine Soldaten hinter ihm, und alle fragen: Welches
> ist der König?, denn er ist aus Fleisch und Blut gleichwie
> sie. Als aber der Heilige, gepriesen sei er, sich am Meer
> offenbarte [nglh] , hatte keiner von ihnen noch zu fragen[3]:
> Welches ist der König? Vielmehr, als sie ihn sahen, erkann-
> ten sie ihn, öffneten alle ihren Mund und sagten: Dieser
> ist mein Gott, und ich will ihn rühmen.

Dieses Gleichnis im Rahmen einer rabbinischen Reflexion über Stu-
fen und Grade der Wahrnehmung und Erkenntnis Gottes in der Geschichte Israels scheint mir denselben Punkt anzuzielen wie Jesus
in Lk.17,2of mit der Zeph.3,14ff entlehnten Sprachfigur. Wie Rabbi Elieser für die Urzeit, so hat Jesus für die Endzeit "an jenem Tage" behauptet, daß Gott zu gegebener Zeit völlig eindeutig
als König in Erscheinung tritt, und hat das unmittelbare Schauen
Gottes von anderen, indirekten Formen der Wahrnehmung Gottes
kritisch abgesetzt.

Mt.12,28 einerseits und Lk.17,2of andererseits markieren nun
eine tatsächliche Spannung in der Verkündigung Jesu.
Diejenigen Exegeten, die Lk.17,21 präsentisch deuten, haben insofern etwas Richtiges getroffen, als das durch Jesus schon
gebrachte Heil allerdings Züge von Zeph.3, 14 - 2o trägt.
Der Visionär von Zeph.3,14-2o schaut ja Gott seine endzeitliche Königsherrschaft so antreten, daß Furcht gelöscht, Hin-
kendes gerettet, Liebe erneuert, Versprengtes gesammelt, über die

---

1) Vgl. Mk.4,3o.
2) Vgl. Mt.16,17.
3) Vgl. Joh.16,23.

'Gefundenen' Israels gejauchzt wird. Wenn nun Jesus, wenn auch
nur an Einzelnen, der Art nach genau solche Rettungstaten voll-
bringt, was anderes ist es dann als eine Prolepse der universalen Offenbarung der Königsherrschaft Gottes am Ende der Zeit?
Was im 'Sabbat'jahr der Gnade Jahwes in Galiläa geschieht und
was im Sinne von Mk.4 'wächst', zeigt in die Richtung dessen,
was 'an jenem Tag' in einem Nu ubiquitär da sein wird.

In summa: Jesus bekräftigt mit dem Rückgriff auf Zeph.3,14ff
die Souveränität Gottes, der sich nicht zwingen oder festlegen
läßt. Er kündet mit einer Anspielung auf zephanjanische Ver-
heißungsworte eine zur gegebenen Zeit urplötzlich einbrechende,
alle bezwingende und alles umfassende Freude an. Die 'letzte'
Thronbesteigung Gottes wird ein Ereignis sein, das aller Welt
blitzartig die Augen öffnet.

In einem einzigen kurzen Ausspruch wird von Jesus somit ('klas-
sisch'-)prophetische Heilserwartung zugleich gegen apokalyptische und zelotische Ungeduld und Anmaßung gesetzt, gegen Vorzeichen und Zeichen.

III SCHLUSSFOLGERUNGEN UND PROBLEME

1. Jesus und Daniels Apokalyptik - Versuch einer Verhältnisbestimmung

Unsere Auslegung führte zu einem Widerspruch , den bibeltheologisches Denken erst noch bewältigen muß.
Er stellt sich uns etwa wie folgt dar: Schon ein ungefähres Bedenken der Themen der Jesusverkündigung läßt ihre, sagen wir es vorsichtig, Bezugnahmen auf das Danielbuch erkennen. Die messianische Selbstbezeichnung 'Menschensohn' und die eschatologische Rede von der Basileia, die Hoffnung des 'ewigen Lebens' und der 'Auferstehung der Toten' mit doppeltem Ausgang (=Dan.12,2.13), die Fülle der danielischen Wendungen und konkreten Erwartungen in den synoptischen Apokalypsen (Mk.13; Mt.24; Lk.21), die Listen der Zitate und Anspielungen bei R.T.France und Nestle/Aland schaffen ein begründetes Vorurteil, daß Jesus aus allen atl. Schriften danielische Elemente geradezu bevorzugt in seine Verkündigung und Lehre eingefügt hat. Dies gilt umso mehr bei einer quantifizierenden Betrachtungsweise: selbst für Jesus so gewichtige atl. Bücher wie Jesaja, Sacharja, Psalter werden nicht häufiger aufgegriffen als eben Daniel, so scheint es.

Ich gebe im folgenden die leicht korrigierte Übersicht der Bezugnahmen nach Nestle/Aland, Novum Testamentum Graece, 26 1979, loci citati vel allegati, S.765-767. Ausgeschieden sind wenige, nach Prüfung nicht überzeugende Stellen sowie etliche danielische Elemente in der lukanischen Vorgeschichte. Berührt eine Stelle der Evangelien eine der beiden griechischen Versionen stärker als die andere, so ist dies durch LXX (Septuaginta) oder Theod. (Theodotion) angezeigt, ohne daß damit in jedem Fall eine direkte Abhängigkeit behauptet wird. Die Danielstelle führe ich um der Übersichtlichkeit willen jeweils zuerst an. Das Stichwort ist in Klammern gesetzt.

Dan.2,27f und 2 passim	=	Mk.4,11 (Geheimnis [des Königreiches Gottes]);
Dan.2,28f.45	=	Mk.13,7par.; Mt.26,54 (muß geschehen; das Ende ⚹ in den letzten Tagen)[1];
Dan.2,34f; 2,44f Theod.	=	Mt.21,44; Lk.2o,18 (zermalmender Stein);
Dan.2,34.45	=	Mk.14,58 (nicht von Menschenhand);

---

1) Zum Motiv der Kriege in Mk.13,7par. vgl. auch Dan.11,11.25.

Dan.3,6 LXX	=	Mt.13,42.5o (Werfen in den Feuerofen)
Dan.3,28 Theod.(?); 9,24 Theod.(?)	=	Mt.4,5 (heilige Stadt);
Dan.4,9.18	=	Mk.4,32; Mt.13,32 (Baum, in dessen Zweigen die Vögel des Himmels wohnen);
Dan.6,18	=	Mt.27,66 (Versiegelu n g des Steines)
Dan.7,9 Theod.; 1o,6	=	Mt.28,3 (Gewand weiß wie der Schnee; Aussehen wie der Blitz);
Dan.7,9f (13f.18)	=	Mt.19,28 (Thron, Throne, Menschensohn Platz nehmen, Gericht);
Dan.7,1o	=	Mt.5,22 (Gericht, Feuer) (?);
Dan.7,13 Theod.	=	Mt.11,3 (der Kommende);
	=	Mk.14,62 (Menschensohn...kommen...mit den Wolken des Himmels);
Dan.7,13 LXX	=	Mt.26,64 (Menschensohn...kommen...auf den Wolken des Himmels);
Dan.7,13f	=	Mt.24,3o (s.o. + alle Nationen der Erde);
Dan.7,9f.13(-27)	=	Mt.25,31 (Menschensohn, Sich-Setzen auf Thron, die Heiligen[Engel]);
Dan.7,13f	=	Mk.13,26; Lk.21,27 (Menschensohn... kommen...in. Wolken... [mit] Herrlichkeit)
Dan.7,13f(-27)	=	Mk.8,38 (Menschensohn kommt... [mit] de heiligen [Engeln] ... [in der] Herrlich- keit [des Vaters]);
Dan.7,13	=	Mt.1o,23 (Kommen des Menschensohns);
Dan.7,14 LXX (?)	=	Mt.28,18 (Exousia gegeben);
Dan.8,13	=	Lk.21,24 (zertreten werden);[1]
Dan.9,3	=	Mt.11,21/Lk.1o,13 (Sack und Asche);
Dan.1o,9	=	Mt.17,6 (auf sein Gesicht fallen);
Dan.11,31 (9,27; 12,11 LXX)	=	Mk.13,14 par. (unheilvoller Greuel);
Dan.11,41 (?)	=	Mt.24,1o; Lk.2,34 (zu Fall kommen);
Dan.12,1 (?)	=	Mt.24,9 (Not);
Dan.12,1 Theod.	=	Mk.13,19; Mt.24,21 (Not, wie noch nie gewesen);
Dan.12,2	=	Mt.25,46 (ewiges Leben, ewige Strafe)
Dan.12,2 Theod.	=	Mt.27,52 (Auferwecktwerden der Schla- fenden);
Dan.12,3 Theod.	=	Mt.13,43 ([überirdisches] Strahlen [der Gerechten]);
Dan.12,12 Theod.	=	Mk.13,13/ Mt.1o,22 (Durchhalten "hy- pomenein").

Einige eigene Beobachtungen füge ich an, zunächst solche, die
gewichtige spezifisch apokalyptische, von Daniel übernommene
'Vorstellungen' und 'Redewendungen' betreffen.

Wo das NT vom 'ewigen Leben' spricht, scheint Dan.12,2 die
Grundstelle zu sein (im Munde Jesu: Mk.1o,3o; Mt.19,29; 25,46;
im Munde anderer: Mk.1o,17; Lk.1o,25). Der danielische Hintergrund wird insbesondere durch Mt.25,34.46 zweifelsfrei klar:

---

1) Vgl. mit Lk.21,24 auch Dan.12,7.

im 'doppelten Ausgang' (Mt.25,46 = Dan.12,2), in dem an Daniel erinnernden Prädestinationsgedanken (Mt.25,34; vgl. Lk.12,32) im Zusammenhang mit der Menschensohnerwartung (Mt.25,31 = Dan. 7,13f). Ich vermute, daß auch die Wendung "das ewige Leben erben [klēronomein]" (Mk.1o,17; Lk.1o,25; Mt.19,29; vgl. Mt.25, 34) in Dan.12, und zwar in einer Zusammenfassung der Verse 2 + 13 wurzelt. Dan.12,13 schließt das Kapitel mit dem Blick auf das Ende der Tage ("synteleia"; vgl. Mt.28,2o), an dem man das ewige Leben "als Erbteil" (Theodotion: "klēros") empfängt.

Lk.1o,2o "Freut euch, daß eure Namen im Himmel aufgeschrieben sind" nimmt neben Jes.4,3; 43,1; 49,1b; Ex.32,32f vielleicht auch die apokalyptische Vorstellung vom 'Buch' auf, in dem verzeichnet ist, wer gerettet wird. (Dan.12,1; 7,1o)

Die "erfüllte Zeit" von Mk.1,15 klingt danielisch-apokalyptisch (vgl. Dan.8,23 LXX; Theod.; 7,22; 12,13).

Mt.11,12/Lk.16,16 erinnert hinsichtlich der Periodisierung der Zeit an die Konzeption der einander ablösenden Reiche im Danielbuch, inhaltlich an Dan.7,21f; 11,21.24.

Einer bestimmten Gruppe von Basileia-Worten (Lk.12,32; Mt.21,43; Lk.22,28ff) scheint die danielische Vorstellung zugrunde zu liegen, daß die 'malkutā' (die Herrschaftsgewalt?) gleichsam ein Besitz ist, den Gott (über)geben bzw. vermachen kann. Zu vergleichen sind Dan.7,14, wonach die malkutā dem Menschensohn, und 7,18.22.27, wonach sie den Heiligen des Höchsten übergeben wird[1]. Mag es offen bleiben, ob auch Lk.6,2ob; Mk.1o,14 von dieser Vorstellung her zu verstehen sind, so scheint mir in Lk.12,32; 22, 28ff der danielische Hintergrund eindeutig zu sein, da beide Logien noch in anderer Weise an danielische Aussagen erinnern: Lk.12,32 "euer Vater hat beschlossen" an Gottes 'Beschlüsse' im Danielbuch (vgl. das ḥrṣ ni. in Dan.9,26f; 11,36 MT); Lk.22,28-3o zum einen das "Ausharren" (diamenein) der Jünger exakt an Dan. 12,12 (MT: ḥkh pi.; Theod.: "hypomenein"; LXX: "emmenein"), zum andern das Sich-Setzen auf Throne und das Richten an Dan.7,9f. Das zweistufige Übergeben in Lk.22,28-3o entspricht im übrigen Dan.7,18 nach 7,14. Dabei ist es hier wie dort gewiß so gedacht, daß Gott an seiner königlichen Herrlichkeit und richterlichen Gewalt teilgibt, ohne daß dadurch <u>seiner</u> malkutā irgendetwas genommen wird. Man beachte auch den danielischen Bekenntnissatz: "Über die 'malkut' bei den Menschen gebietet der Höchste; er verleiht sie, wem er will; selbst den Niedrigsten der Menschen kann er dazu erheben." (4,14b) Die synoptischen Logien Lk.6,2ob; 12,32; 22,28-3o; Mk.1o,14 stimmen mit ihm in der Intention überein.

Das synoptische "dei", z.B. der Leidensweissagungen (Mk.8,31f; 9,11), ist sicherlich Dan.2,28f.45 (LXX; Theod.: "dei"; MT: "mā di lāhᵃwēʾ") nachgebildet.

---

1) Vgl. 1.Kor.6,2: "Wißt ihr denn nicht, daß die Heiligen die Welt richten werden?"

Inwieweit die danielischen Theophanie- bzw. Angelophaniedar-
stellungen (Dan.1o; 12,3) die erzählerische Gestaltung der Verklärung Jesu (Mk.9,2-9; Lk.9,28-36; Mt.17,1-9; vgl. auch Lk.17,
24) beeinflußt haben, bedürfte einer genaueren Untersuchung.
Kaum zu bestreiten wird sein, daß Mk im Osterbericht (16,8) 2
Motive der Angelophanie Dan.1o verwendet, um das "Entsetzen"
(ekstasis) der Frauen und ihr "Fliehen" (ephygon) darzustellen:
beide Vokabeln sind in Dan.1o,7 Theod. (nicht LXX!; MT entsprich
Theod.) auf die Begleiter Daniels bezogen: sie wurden von einem
Entsetzen befallen, flohen und versteckten sich!
Vor allem hat das Stumm-Bleiben der drei Frauen als Reaktion auf
die Epiphanie nirgends im AT eine so genaue Parallele wie in
Dan.1o,15. Weitere auffällige Parallelen zwischen Ostererscheinun
gen und Daniel-Angelophanien sind der Ruf "Fürchte dich nicht"
(=Dan.1o,19) und "Friede sei mit dir" (=Dan.1o,19), auch Mt.28,3
= Dan.1o,6 ("wie der Blitz").

Die "elthon"-Worte Jesu, die infinitivisch den Inhalt seiner Sen
dung beschreiben, sind bedeutungsgleich mit Gesandtsein-Worten.
Das zeigt Lk.4,43 par. Mk.1,38 und die inhaltliche Füllung einiger "elthon"-Worte durch Jes.61,1f (Jahwe hat mich gesandt, zu..
Die nächste Parallele zu dieser Transformation von "ich bin gesandt" in "ich bin gekommen" ist Dan.9,22f; 1o,11-14.

Jesu Rede von der "exousia" des "Menschensohns" Mk.2,1o setzt,
mindestens was die Sprachform betrifft, die Übertragung der
"exousia" Gottes auf den Menschensohn (Dan.7,13f) voraus. In
V.14 LXX findet sich dabei 3mal das Wort "exousia". "He is the
Son of Man...who exercises the divine 'exousia'." (Kim, S.9o)

Auf Mk.1o,26f "Wer kann dann gerettet werden - bei Gott ist alle
möglich" könnte neben Gen.18,14; Hi.42,2; Sach.8,6; Jes.55,1of
auch Dan.3,17 eingewirkt haben, zumal es im dortigen Zusammenhan
tatsächlich um das Retten-können-Gottes geht.

Mt.1o,3o "von euch sogar die Kopfhaare alle..." berührt Dan.3,94

Eine nur zufällige Berührung mag es sein, daß in Dan.1,7 wie in
Mk.3,16f drei Israeliten einen zusätzlichen Namen erhalten.

Nur eine vorläufige Materialsammlung konnte im Rahmen der vorliegenden Arbeit geboten werden. Detailuntersuchungen sind er-
forderlich.[3]
Aufmerksamkeit verdient auch die Frage der Textform: In welcher
Fassung hat das Danielbuch welchen neutestamentlichen Rezeptoren
vorgelegen? R.T.France bemerkt dazu: "It is generally agreed tha
the version of Daniel used by the first century church was not
our present LXX; but a version underlying the later Theodotion."
(S.244) Dieses Urteil scheint sich, auch in den oben neu gelten
gemachten Bezugnahmen, - mit Einschränkungen - zu bestätigen.

---

1) Vgl. W.Grimm, Verkündigung, S.83ff.
2) Den Hinweis verdanke ich Otto Betz.
3) Ein wichtiger Beitrag in diesem Sinne ist die Studie von O.
   Betz, "Jesus der Menschensohn" = Bd.II dieser Arbeit.

Weiterführende, präzisierende und differenzierende Forschungs-
arbeit dürfte sich lohnen.

Dies ist die eine Seite. Die andere haben wir in den vorherge-
henden Kapiteln präzise darzustellen versucht: Jesu schärfsten
Widerspruch gegen wesentliche Denkvoraussetzungen und Inhalte
danielischer und an Daniel orientierter Apokalyptik. An der
Authentizität und scharf antidanielischen Aussageabsicht von
Sprüchen wie Mk.1o,42-45; 13,32; Mt.11,25-27; Lk.17,2of dürfte
kaum zu rütteln sein. Hinzu kommt noch Jesu Lehrsatz zur Rein-
heitsfrage Mk.7,15, der sich wie eine Antithese zu Daniels Ent-
schlossenheit am Hofe Babels liest, "sich nicht mit den Spei-
sen und dem Wein der königlichen Tafel unrein zu machen"(1,8).

Läuft es auf eine weiter nicht durchschaubare Ambivalenz des
geistigen Verhältnisses Jesu zu Daniel hinaus?

Mir drängt sich für den zweifellos nicht einfachen Sachverhalt
eine andere Erklärung auf, und sie scheint mir plausibel genug,
um in Grundlinien hier noch dargestellt zu werden.

Vorausgeschickt sei eine kurze Skizzierung der Wertschätzung,
die das Danielbuch damals, z.Z. Jesu, im Judentum erfahren hat.
Fest steht, daß eine spätere talmudische Stelle (b.Meg.3a) dem
Danielbuch prophetische Urheberschaft abspricht. Die masoretisch
- rabbinische Textüberlieferung mit ihrem palästinischen Kanon
bringt das Danielbuch nicht unter den Propheten, sondern unter
den drittklassigen 'Schriften', und auch dort erst in zweiter Reihe[1]. Dazu scheint zu stimmen, daß Jesus Sirach (15o v.Chr.) in
49,8-1o zwischen Ezechiel und den 12 Propheten zwar Hiob als
Propheten aufführt, nicht aber Daniel. Ein zwingender Beweis
für ein hohes Alter der rabbinischen Bewertung Daniels ist dies
aber nicht: der Siracide wollte an dieser Stelle nicht unbedingt
eine vollständige Liste bieten; Daniel könnte gleichsam unab-
sichtlich ausgelassen worden sein. Koch vermutet, daß die Rabbinen Daniel sekundär zurückgestuft haben, da sich aus älteren
Nachrichten nichts gegen die Einstufung Daniels unter die Propheten (so der alexandrinische Kanon) anführen läßt. (S.28f)

---

1) Überhaupt ist interessant zu sehen, welchen Kampf das Rabin-
   nat nach der Geschichtskatastrophe des Jahres 7o n.Chr., im
   Zuge einer radikalen Entmilitarisierung der Zukunftserwartung,
   gegen Daniels Apokalyptik und Endzeitberechnung geführt hat,
   darin durchaus mit Jesus übereinstimmend. Dazu P.Lapide: "Der

In der Tat erhält er diesen Rang und Würde ausdrücklich in Mt.
24,15; 4 Q 174 II 3; Ant.1o,266ff; mehr noch: Josephus (Ant.1o,
266f) hebt ihn ob seiner exakten, z.T. schon bestätigten Zeitangaben der Geschichtsereignisse und ob seiner unmittelbaren Kom
munikation mit Gott über die anderen Propheten hinaus. Auch die
vielen Anspielungen und Zitate im NT bezeugen jedenfalls eine
hohe Wertschätzung des Danielbuches. So wird man voraussetzen
dürfen, daß Jesu Verkündigung in die Zeit einer allgemeinen
Daniel-Begeisterung und Daniel-Gläubigkeit, eines weithin aner-
kannten apokalyptischen Systems fiel, unbeschadet der Frage, ob
Daniel zu Jesu Zeit 'kanonische' Geltung besaß oder nicht. Daß
das Danielbuch wohl erst nach Abschluß der 'Nebiim' abgefaßt wur
de, hat jedenfalls der Danieleuphorie im 1. nachchristlichen
Jahrhundert keinen Abbruch getan.

Es ist klar, daß Jesus von Nazareth, wie immer er seinen Auftrag
verstand, in dieser Daniel-begeisterten Zeit ein Wort zu Daniel
sagen mußte, so oder so. Wenn er die Anliegen seiner Zeitgenossen, ihre Erwartungen, Sehnsüchte, Denkweisen ernst nehmen wollte

---

falsche Messias mag wohl so alt sein wie die Hoffnung auf den
wahren - wobei die sogenannten 'Endzeitberechner' seit eh und
je eine Schlüsselrolle in der Erweckung kurzlebiger Enthusias
men spielten. Ihnen galt daher der Kampf der Rabbinen, die
sowohl die Unmöglichkeit der Zukunftsergründung betonten
(Sanh.99a), als auch die Tatsache, daß sogar den Leuchten Israels (Jakob, Salomo, Abraham usw.) das Ende verborgen blieb
(Gen.R.99; Pess.56a; Midr.Qoh.12,9) - ganz im Sinne von Jesu
Antwort (Apg.1,7). Und da insbesondere das Buch Daniel mit
seiner Zahlenmystik als Schatzkammer für messianische Spekulationen galt, wurde wiederholt (laut Dan.12,9) bewiesen, daß
auch Daniel den Termin der Erlösung nicht kannte (Gen.R.98;
Midr.Ps.37,7). So drängend blieb jedoch das nie-endende Fragen nach dem Erlöser, daß Rabbi Chalafta allen Endzeitberech-
nern kurzerhand ihren Anteil an der kommenden Welt absprach
(Derech Eretz 1o). Um auch die hartnäckigsten Vorauswisser zu
entmutigen, sagte Raw: 'Alle Endzeittermine sind vorüber, und
die Erlösung hängt jetzt nur von den guten Taten und von der
Umkehr ab', was Rabbi Elieser verdeutlichte: 'Wenn Israel um-
kehrt, werden sie erlöst, wenn aber nicht, so werden sie
nicht erlöst.' (Sanh.98b)...Denn durch Buße (Joma 86b), durch
das Halten der Gebote (Schabbath 118b), durch Tora-Studium
(Sanh.99b) und durch Wohltätigkeit (BB 1o, a Bar) kann die An-
kunft des Messias beschleunigt werden - was eindeutig alles

dann mußte er sie dort abholen, wo sie geistig und geistlich
standen. Dann flossen wie von selbst die Themen Daniels, seine
Sprache und seine Bilder in Jesu Verkündigung ein. Jesus
ließ sich das Thema angeben; er blieb aber in der Durchführung
frei.

Von diesen Vorüberlegungen her könnte sich der Widerspruch wie
folgt auflösen:

a) Manche Anspielungen auf Danielstellen in der synoptischen
Tradition werden mit einer Apokalyptisierung der Jesusverkündigung in der hochapokalyptisch gestimmten Zeit vor dem römisch -
jüdischen Krieg und in seinen Anfängen zusammenhängen. Das gilt
vor allem für Zeitangaben und Details in den synoptischen Apokalypsen (z.B. Mk.13,7.13f.19; Mt.1o,22; 13,42.5o; 21,44; Lk.
21,24), aber auch für die Umformung der öffentlichen Rede Jesu
in eine esoterische Geheimlehre (Mk.4,11.34; Mt.13,36).

b) Manche sprachlichen Berührungen betreffen gar nicht die Sub-
stanz eines Gedankens, sondern bezeugen lediglich Jesu bewußte
oder unbewußte Teilhabe am Sprachmilieu seiner Zeit (z.B. Mk.8,
31f; 14,58). Auch mag Jesus unbefangen gar nicht spezifisch
apokalyptische Motive aus dem Danielbuch als sprachliches Material seiner Verkündigung übernommen haben (z.B. Mt.1o,3o; Mt.
11,21/Lk.1o,13; Mk.4,32).

c) Wichtige Themen seiner Verkündigung: Königsherrschaft Gottes:
Herrschen und Dienen; Offenbarung; Menschensohn sind ihm von
Daniel gewiß vorgegeben. Ich halte dies gerade bezüglich der
Menschensohnselbstbezeichnung für die natürlichste Annahme, ja
im Blick auf viele mit der Selbstbezeichnung verbundenen Aussa-
gen für eine zwingende Annahme.

Die jüngsten, m.E. richtungsweisenden Arbeiten von H.Gese, S.
Kim und G.Gerleman scheinen mir, wie immer man im einzelnen urteilen mag, jedenfalls darauf hinauszulaufen, daß a) die synoptische Menschensohnbezeichnung vor keinem anderen Hintergrund
verstanden werden kann als vor der danielischen Menschensohn-
vision 7,13ff (vor allem Kim) und b) Dan.7,13ff, Menschensohnbezeichnung und Menschensohnvorstellung, keine zur
_____
    kriegerische Handeln als militärische 'Mithilfe' am Erlö-
    sungswerk ausschließt, um die Erlösung einzig und allein vom
    Heilswillen Gottes und - zweitrangig - vom Ethos Israels
    abhängig zu machen." (S.127f)

davidisch-messianischen alternative Messiaserwartung darstellt,
vielmehr ihre organische Weiterentwicklung (Kim und H.Gese[1]).
c) Mit der Selbstbezeichnung 'Menschensohn' als solcher distan-
ziert sich Jesus noch nicht von davidischer Messianität, und
ebensowenig ist sie Niedrigkeitsaussage, Ausdruck 'nur-menschli-
cher' Weise. Vielmehr ist der Menschensohn der in den höchsten
Offenbarungskreis aufgenommene messianische Mensch, der so Mittler aller Offenbarung wird und Träger göttlicher "exousia"
(H.Gese, S.Kim).
Wenn G.Gerleman (S.1-13), mit allerdings nur spärlichen Belegen,
recht haben sollte, ginge bereits aus der angeblich aus dem hebr
"brr" bzw. "brh" = "absondern", "ausscheiden" abzuleitenden Bezeichnung "bar naša'" als solcher hervor, daß es sich von Haus
aus um eine Hoheitsaussage handelt, die gerade den Aspekt des
über das Normal-Menschliche Herausgehobenen erfaßt. In der Tat
verleiht eine solche semantische Grundbedeutung etlichen synoptischen Menschensohnworten mehr Kontur, Pointe, ja - für Je-
suslogien charakteristische - Paradoxie. In besonderer Weise
trifft das für die Leidensweissagungen zu.
Aber gerade in ihnen widerspricht nun Jesus der Menschensohnleh-
re von Dan.7! Man lese nur einmal Mk.9,31

        Menschensohn wird übergeben in die Hände von Menschen...

vor dem Hintergrund von Dan.7,13f oder syr.Apk.Bar.7o,9

        [die Mächtigen und Sünder] werden übergeben in die Hände
        deines Knechts, des Messias -

die Antithese Jesu zur Apokalyptik ist hier leicht zu erspüren.
Mit anderen Worten: Wenn Jesus in Dan.7,13ff den über die irdische Sphäre hinausgehobenen, in allergrößte Nähe zu Gott ge-
brachten Messias erkannte, profilieren sich die von ihm formu-
lierten Antithesen umso mehr!
Von daher ist ernsthaft zu fragen, ob Logien, in denen Dan.7,
13f (die Übertragung der Macht auf den Menschensohn) bruchlos
integriert ist und die Aussage konstituiert, sich nicht besser
als Bildungen der Urgemeinde erklären lassen - sie kennt ja Jesus als den Auferstandenen und Inthronisierten - denn als Ausdruck eines messianischen Hoheitsbewußtseins Jesu.
Vgl. aber O.Betz, "Jesus der Menschensohn" = Bd.II dieser
Arbeit.

---

1) Der Messias, S.144. Der Menschensohn als "Transformation des
   davidischen Messias" ist " der der Selbsterschließung Gottes
   voll teilhaftig gewordene, in den höchsten Offenbarungskreis
   gelangte Mensch, der die Offenbarung an die Menschheit vermittelt. Er ist der zum Offenbarer gewordene Offenbarungsempfänger, der das göttliche Endgericht und das ewige Gottesreich
   bringt."

Ein ähnlich dialektisches Verhältnis Jesu zur Menschensohmleh-
re Daniels finden wir in Mk.2,1o. Einerseits knüpft Mk.2,1o,
m.E. unüberhörbar, an Dan.7,13f an, wenn Jesus von der Vollmacht
("exousia") des Menschensohns spricht - 3mal findet sich in
Dan.7,14 LXX das Wort "exousia" zur Bezeichnung der herrscher-
lichen Gewalt des Menschheitsmessias. Dabei umgreift die Vokabel
alles, was in Dan.7,14 Theod. als die "archē" (erster Rang),
"timē" (Ehre) und "basileia" (Königtum) des Menschensohns -
entfaltet - beschrieben ist.[1] Daß der Menschensohn Jesus überhaupt "exousia" hat, mag also mit der Erwartung von Dan.7,13f
zusammenhängen, wonach am Ende der Zeiten Gott seine "exousia"
dem Menschensohn(ähnlichen) übertragen wird. (Jesus hat viel -
leicht die innere Erfahrung einer Bevollmächtigung mit Dan.7,13f
in Sprache gefaßt.)
Aber damit endet der Bezug! Die dem danielischen Menschensohn
übertragene exousia betätigt sich als Herrschaft über die Völker,
das ist ausdrücklich gesagt: alle Völker müssen ihm dienen, d.h.
Gehorsam leisten und kultische Verehrung erweisen (Dan.7,14b).
Ganz anders äußert sich der Menschensohn-Exousia Jesu: als in-
tuitive, richterliche Erkenntnis des Menschenherzens (Mk.2,1o),
Heilung eines Gebrechens (Mk.2,9) und Sündenvergebung (Mk.2,1o).
Damit gibt Jesus zu erkennen, daß ihm mit der exousia des Menschensohns nicht imperiale Macht, sondern auf den einzelnen
Menschen wirkende Heilands- und Retterkräfte Gottes übertragen
sind. Nach dem Bekenntnis Israels im Psalter sind es Vollmach-
ten, Möglichkeiten, über die exklusiv Gott Jahwe verfügt, der
die Worte eines Menschen kennt, noch ehe sie auf seiner Zunge
liegen (Ps.139,4; vgl. Jes.11,3) und "der dir all deine Schuld
vergibt und heilt all deine Gebrechen"(Ps.1o3,2; vgl. Ps.32,1-5;
eschatologisch: Jes.33,23b-24). Wieder zeigt sich: Jesus Menschensohn beschreitet einen ganz anderen Weg zum Heil der Gottesherrschaft als den in Dan.7,13f ins Auge gefaßten.
Daniel schaute die universale, Gehorsam erzwingende Herrschaftsgewalt des Menschensohns und seines Volks über die Völker, das
Heil als Machtstruktur mit neu verteilten Rollen - Jesus Menschensohn gebraucht seine exousia zur Rettung und Heilung des
einzelnen ihm begegnenden leidenden Menschen, und die Zeugen
seiner Exousia-Tat preisen die darin beschlossene persönliche
Zuwendung Gottes zu einem Menschen und "beten an die Macht der
Liebe, die sich in Jesus offenbart" (Mk.2,12).

---

1) Mit demselben umfassenden Sinn kommt die Vokabel "exousia"
   vor im Taufbefehl des Auferstandenen Mt.28,18ff, welcher als
   seinen Ermöglichungsgrund den Vollzug von Dan.7,14 verkündet.

Die Ergebnisse unserer Untersuchung lassen sich jedenfalls nicht
einfach beiseiteschieben. Die Daniel klar widersprechenden Punkte der Jesusverkündigung im Offenbarungsverständnis, im Verhältnis zur Macht, in der Basileia-Lehre, in der Endzeiterwartung
widerraten der vorschnellen Annahme einer einfachen geistigen
Abhängigkeit Jesu von Daniel, trotz stärkster sprachlicher Berührungen.

Hinzu kommt eine sehr wichtige grundsätzliche Überlegung, die
C.Westermann aufs klarste formuliert hat:

"Der apokalyptische Grundzug des Zueilens der Menschheitsge-
schichte auf einen Endkampf, bei dem die Gott feindlichen Mächte
besiegt werden und Gott sein Volk oder seine Frommen rettet und
eben darin der neue Äon, die ewige Herrschaft Gottes anbricht,
unterscheidet sich von der Verkündigung Deuterojesajas darin,
daß die Rettung Israels aus dem babylonischen Exil die Ablösung
des geretteten Gottesvolks von der Macht bedeutet. Der Unterschied zeigt sich auch darin, daß bei Deuterojesaja und Ezechiel
die Rettung auf die Vergebung gegründet wird, dagegen in der
Apokalyptik die Aufrichtung des neuen Gottesreiches mit Vergebur
nicht in Zusammenhang gebracht wird. Auch läßt die Apokalyptik
keine Spur eines Weitergehens der Linie des aus der Geschichte
der Prophetie erwachsenen Leidens des Mittlers erkennen. Vielleicht hängt es mit diesem Unterschied zusammen, daß in den
Gleichnissen Jesu von der Königsherrschaft Gottes in so völlig
anderer Weise als in der Apokalyptik gesprochen wird."[1]

Damit ist nicht ein Marginale der Verkündigung Jesu angesprocher
sondern ihre Basis, ihre Wurzel! Mehrfach ist uns deutlich gewor
den, wie Jesus an Weichenstellungen die Linie Deuterojesajas ein
schlägt und damit von der apokalyptischen Linie abweicht. Künfti
ge Forschung wird unter diesem Gesichtspunkt klären müssen, welches Daniel berührende synoptische Logion im Munde Jesu denkba
ist und welches nicht. Ein Maßstab könnte der antiapokalyptische
Kern der Verkündigung Jesu sein, wie wir ihn in den Kapiteln I
und II herauszuschälen versuchten.

---

1) S.133. Man wird freilich das Danielbuch in der Frage von
   Schuld und Vergebung differenzierter sehen müssen. Daniels
   großes Gebet (9,3ff) ist doch ein weitausholendes Schuldbekenn
   nis mit Erflehen des Erbarmens Jahwes und seines Verzeihens
   (V.18f). Allerdings: Die Schuld muß von Israel "gesühnt" werden durch Jahrwochen des Leidens (V.24; vgl. schon Jes.40,2).

2. Die Bedeutung des Widerspruchs Jesu heute

Mt.11,25-27 par. verdient zweifellos eine wesentliche Aufwertung
in der katechetischen, liturgischen und seelsorgerlichen Praxis
der Kirche. Der Lobpreis, der uns Wesentliches über das Bewußtsein (!) Jesu sagt, zählt m.E. zu den memorier- und behaltwürdi-
gen Stücken des christlichen Glaubens.
Vor allem wird die Erinnerung an dieses einzigartige Gebet Jesu
heute eine wichtige Hilfe sein in der Anfechtung durch viele
christliche und nichtchristliche Sekten, für die etwa Jehovas
Zeugen und die Adventisten repräsentativ stehen können. Darin
weit mehr in der Nachfolge von Daniel, äth.Henoch, 4.Esra und
Qumrangemeinde als in der Nachfolge Jesu von Nazareth, propagie-
ren sie seit jeher in allerlei Varianten, unterstützt jetzt noch
durch die düsteren Prognosen der professionell mit der Zukunft
befaßten Ökologen und 'Friedensforscher', das unmittelbar bevor-
stehende Weltende als Schreckensereignis für die große Mehrheit
der Menschen. Wie gehabt rechnen sie es aufgrund von Vorzeichen
und mit Hilfe u.a. des Danielbuches und der chronologisch inter-
pretierten Johannesoffenbarung terminlich aus oder suchen doch
die drohende Nähe des Endes zu demonstrieren. Mit dem Ende werde
sich das Gericht Gottes verbinden, aus dem nur wenige auserwähl-
te Gerechte (meistens eben die Sektenangehörigen) gerettet werden. Die Mission solcher Sekten macht, durchaus nicht ohne Wirkung, ihr Geschäft mit der Angst derer, die den Anspruch der
Sektenhäupter ernstnehmen, 'wissende' Offenbarungsempfänger und
-mittler oder 'verständige' Schriftforscher zu sein - eine im
weitesten Sinn terroristische Methode. Denn nur die geistige Unterwerfung unter die 'Weisen und Verständigen' läßt eine Über-
lebenschance im Endgericht.

"Dies ist typisch für eine apokalyptische Strömung: In einer
Zeit, in der traditionelle Ordnungen zerbrechen, Unsicherheit
und Ratlosigkeit sich breitmachen und die Zukunft verstellt zu
sein scheint, tauchen - erlösend, weil sie Sinn zu geben scheinen - die apokalyptischen Bilder auf: die weltweite Endkata-
strophe und die wunderbare Bewahrung einer (kleinen) Schar von
Glaubenden... Dies ist der Punkt, wo die Apokalyptik geradezu
gefährlich werden kann, weil sie vom eigentlichen Grund und

Ziel des Glaubens abführt. Sie hat wesensmäßig die Tendenz, eine
beherrschende Rolle im Denken des Menschen einzunehmen: Wer sich
kurz vor dem Anbruch der endzeitlichen Ereignisse weiß, der wird
hiervon in seinem ganzen Leben und Handeln bestimmt; er richtet
seine ganze Vorstellungskraft auf das, was kommen mag. Viele
Ängste drängen sich in diesem geistigen Klima der Apokalyptik
vor, denn wir Menschen sind nun einmal so veranlagt, daß die unheilvollen Bilder mächtiger sind als die tröstlichen, besonders
wenn es um unsere Zukunft geht. So tritt das Grübeln und Speku-
lieren und auch das behauptete Wissen um zukünftige Dinge, das
leicht zur Rechthaberei wird, an die Stelle echten christlichen
Glaubens, der nach der Heiligen Schrift allein ein Glaube an Gott
und an seinen Christus ist." (zitiert aus "...neben den Kirchen.
Gemeinschaften, die ihren Glauben auf besondere Weise leben wollen", hg. von H.D.Reimer und O.Eggenberger, ²198o, S.176f)

Der jubelnde Lobpreis Jesu zusammen mit Mk.13,32 und Lk.17,2of,

sofern in ihrer Bedeutung verstanden und in ihrer Echtheit gegen-

über sekundärer Überlieferung erkannt, dürften den stärksten

inneren Schutz gegen solche Angriffe darstellen.[1] Wegen seiner

Eindeutigkeit kann er noch radikaler gegenwirken als die beden-

kenswerten Sätze, die wir in "...neben den Kirchen", a.a.O.,

lesen:

" Die urchristliche Erwartung der Wiederkunft Jesu Christi, wie
sie etwa zusammengefaßt ist im letzten Satz der Bibel: 'Marana-
tha - komm Herr Jesu!' und aufgenommen wurde am Schluß des zweiten Glaubensartikels...hat ganz deutlich ein anderes Thema. Dies
sind Aussagen nicht über künftige Ereignisse, sondern über Gott
selbst, in dessen Händen unsere Existenz ruht, was immer geschehen mag. (Vgl. Joh.16,33). 'Ich bin das A und das O, der Anfang
und das Ende, spricht Gott , der Herr, der da ist und der da war
und der da kommt, der Allmächtige', lautet eine der gewaltigsten
Aussagen der ganzen Bibel (Offb 1,8); und Jesus hat uns diesen
Gott als liebenden Vater gezeigt."

---

1) Zwar ist die Anfechtung durch Jehovas Zeugen und andere apokalyptisch orientierte Sekten gewiß nicht die primäre geistige
   Anfechtung, die Christen und Atheisten in den letzten Jahrzehnten des 2o. Jahrhunderts erleiden, aber auf der hohen Warte
   der Universitäten, Kanzeln und Volkshochschulen wird dennoch
   leicht unterschätzt, was sich an Tragödien in manchen Fußgän-
   gerzonen und Häusern und vor vielen Haustüren abspielt.
   In einem weiteren Sinn könnte Mt.11,25-27, gelöster Jubel und
   Ausdruck innigen und gelassenen Gottvertrauens, von seelsorger-
   licher Bedeutung sein für zwanghafte Persönlichkeitsstrukturen
   mit überwertigem Sicherungsbedürfnis. Mit F.Riemann (Grundfor-
   men der Angst,³1979) gesprochen, ist es die Angst vor der

Von Carl Zuckmaier ist das Wort überliefert: "Man wird allein
geboren, und man stirbt allein. Darüber konnte keiner noch dem
Menschen helfen. Doch einer! Der die Unwissenden selig nannte!"
Es gibt nur eine gültige Erkenntnis des Willens und Heilsplans
Gottes, und sie liegt bei seinem Sohn. Er allein vermittelt sie:
Wahrheit, für die geistlich törichten Welt-Menschen genauso
erschwinglich wie für die vermeintliche religiöse Elite.
Wann und wie die letzte Offenbarung der Gottesherrschaft sein
wird, bleibt allen Irdischen verborgen. Aber daß das Ende nicht
die von der Menschheit betriebene Selbstzerstörung sein wird,
sondern eine Begegnung 'von Angesicht zu Angesicht' mit dem, den
er 'Vater' rief, gehört zum messianischen Wissen Jesu. Indem
er es weitergibt, befreit er von lähmender Resignation und Er-
wartungsängsten, von selbstquälerischen Grübeleien und Sorgen,
von egoistischer Habgier und lebensfeindlichen Absicherungs-
zwängen, von angstvollem Gebanntsein vor der Zukunft.
Ein Weg oder eine religiöse oder politische Aktivität, Gottesherrschaft universal zu etablieren, wird dem Menschen nicht er-
öffnet. Aber es ist 'jetzt schon' möglich, Gottes Herrschaft
punktuell aufzudecken, indem wir unsere Existenz an Jesus orien-
tieren: an seinem Heilen statt Verletzen, Dienen statt Herrschen,
grenzüberschreitenden Lieben statt Feindschaften-Bauen.

Vergänglichkeit und dem Tod, die zwanghafte Menschen sich
"schwer damit abfinden" läßt, "daß etwas oder jemand sich ihrer
Macht entzieht, ihrem Willen nicht untersteht. Sie möchten
alle und alles dazu zwingen, wie es ihrer Meinung nach sein
sollte...Der zwanghafte Mensch kann es schwer annehmen, daß
es im Bereich des Lebendigen...keine unveränderlichen Prinzi-
pien gibt, daß Lebendiges nicht völlig vorausberechenbar festgelegt werden kann. Er glaubt, alles in ein System einfangen
zu können, um es lückenlos übersehen und beherrschen zu können." (S.1o9)
Kippt nicht auch unser heutiges Krisenbewußtsein leicht um in
Allmachtswünsche, den Lauf der Welt vollkommen in den Griff
bekommen zu wollen und bekommen zu müssen? Unterliegen wir,
Zukunftsberechnung, Planung und Organisation total betreibend,
letztlich nicht ähnlichen Zwängen wie die Apokalyptiker, die
Jesus 'entzauberte'?
Und ist auf der anderen Seite das starre Festhalten an der
Wachstumsgesellschaft etwas anderes als ein Symptom kollek-
tiver Zwangsneurose: die Furcht vor Veränderung und Wandlung;

---

das Sich-dagegen-Verwahren, daß Gott die Geschichte und unsere
Lebensgeschichte in eine andere Richtung lenkt, als wir es
(und ihn!) festgelegt, (ein)geplant und errechnet hatten?

L I T E R A T U R   (ohne Lexikon-Artikel)

a) ZUM GANZEN

Gese, H., Anfang und Ende der Apokalyptik, dargestellt am
        Sacharjabuch, in: Vom Sinai zum Zion, BEvTh 44 (1974)
        2o2-23o

Gese, H., Der Messias, in: Zur biblischen Theologie. Alttesta-
        mentliche Vorträge, BEvTh 78 (1977) 128-151

Grimm, W., Die Verkündigung Jesu und Deuterojesaja, ANTI 1,
        ^{2}1981

Jeremias, J., Neutestamentliche Theologie I: Die Verkündigung
        Jesu, Göttingen 1971

Koch, K., (Mitarbeit T.Niewisch und J.Tubach), Das Buch Daniel,
        EdF 144, 198o

Ruager, S., Das Reich Gottes und die Person Jesu, ANTI 3, 1979

Schadewaldt, W., Die Zuverlässigkeit der synoptischen Tradi-
        tion, Theologische Beiträge 13 (1982) 2o1 -223

Westermann, C., Theologie des Alten Testaments in Grundzügen,
        ATD Ergänzungsreihe 6, 1978

Zimmerli, W., Grundriß der alttestamentlichen Theologie, ^{4}1982

b) ZU KAPITEL I

Bieneck, J., Sohn Gottes als Christusbezeichnung der Synoptiker,
        1951

Bruce, F.F., Josephus und Daniel, ASTI 4 (1965) 151-16o

Cerfaux,L., Les Sources scripturaires de Mt 11,25-3o, Ephemeri-
        des Theologicae Lovanienses 31 (1955)

Christ, F., Jesus Sophia, AThANT 57, 197o

Flusser, D., Die rabbinischen Gleichnisse und der Gleichniser-
        zähler Jesus, 1.Teil: Das Wesen der Gleichnisse,
        Judaica et Christiana Bd.4, 1981

Grimm, W., Der Dank für die empfangene Offenbarung bei Jesus und
        Josephus, BZ 17 (1973) 249-256

Grundmann, W., Das Evangelium nach Lukas, Berlin ^{2}1963

Hoffmann, P., Studien zur Theologie der Logienquelle, NTA NF 8,
        ^{2}1975

Lindner, H., Die Geschichtsauffassung des Flavius Josephus im
        Bellum Judaicum, Diss. Tübingen 197o

Norden, E., Agnostos Theos, Leipzig 1913 (Neudruck Darmstadt 1956)

Porteous, N.W., Das Danielbuch, ATD 23, 1962

von Rad, G., Theologie des Alten Testaments Bd.II, [6]1975

Riesner, R., Jesus als Lehrer, WUNT II Bd.7, 1981

Sjöberg, E., Der verborgene Menschensohn in den Evangelien, 1955

Stuhlmacher, P., Existenzstellvertretung für die Vielen: Mk.1o,45 (Mt.2o,28), in: Werden und Wirken des Alten Testaments, C.Westermann FS (Göttingen, 198o)

Wildberger, H., Jesaja Kap. 1-12, BK X 1, [2]198o

c) ZU KAPITEL II

Betz, O. / Grimm, W., Wesen und Wirklichkeit der Wunder Jesu, ANTI 2, 1977

Haacker, K., Das kommende Reich Gottes..., Theologische Beiträge 13 (1982) 244-256

Hengel, M., Nachfolge und Charisma, BZNW 34, 1968

Mußner, F., Wann kommt das Reich Gottes? Die Antwort Jesu nach Lk.17,2ob.21: BZ 6 (1962) 1o7-111

Rüstow, A., Entos hymōn estin. Zur Deutung von Lk.17,2o-21: ZNW 51 (196o) 197-224

Strobel, A., Die Passa-Erwartung als urchristliches Problem in Lk 17,2of: ZNW 49 (1958) 157 -196

d) ZU KAPITEL III

France, R.T., Jesus and the Old Testament, London 1971

Gerleman, G., Der Menschensohn, Studia Biblica I, Leiden 1983

Kim, S., The Son of Man as the Son of God, WUNT 3o, 1983

Lapide, P., Mit einem Juden die Bibel lesen, Stuttgart 1982

e) TEXTE, HILFSMITTEL

Kautzsch, E., Die Apokryphen und Pseudepigraphen des Alten
          Testaments (2 Bde), Darmstadt 1962 (=Tübingen
          19oo)

E.Lohse, Die Texte von Qumran, Darmstadt, ^{3}1971

Josephus, Works, ed. H.St. Thackeray, R.Marcus, A.Wikgren,
          L.H. Feldmann, 9 Bde, Loeb Classical Library,
          London 1962-1965

Flavius Josephus, De Bello Judaico, Der Jüdische Krieg, Bd.I-
          III, hg. von O.Michel/O.Bauernfeind, ^{2}1962-1969

Mekilta de Rabbi Ismael, ed., tr. J.Z. Lauterbach, 3 Bde,
          Philadelphia 1933, 1976

M. Jastrow, A Dictionary of the Targumim, the Talmud Babli
          and Yerushalmi and the Midrashic Literature,
          New York 195o

Jenni/Westermann, Theologisches Handwörterbuch zum Alten
          Testament, 2 Bde 1971/1976   (THAT)

H.Balz/G.Schneider, Exegetisches Wörterbuch zum Neuen Testa-
          ment, 3 Bde, 198o-1983   (EWNT)

Abkürzungen und Umschrift in Anlehnung an THAT und EWNT

S T E L L E N R E G I S T E R

(Auswahl zitierter und interpretierter Stellen)

ALTES TESTAMENT

Die Bezugnahmen, Anspielunge
und Anklänge an danielische
Stellen in den synoptischen
Evangelien sind S.91ff aufge
listet.

NEUES TESTAMENT

Synoptische Stellen mit Bezugnahmen, Anspielungen
oder Anklängen an danielische
Stellen sind auf S.91ff
aufgelistet.

JÜDISCHES SCHRIFTTUM

Sir. 49,8-1o	95	1 QH 2,13	12
51	26	7,26f	12
		4 Q 174 II 3	96
Äth.Hen.25,7	11	11 Q Melch	53
27,5	11		
36,4	12	Mek.15,1	29
39,9-11	11	15,2	88f
61,11-13	12	19,1-2	37
63,2-4	12	19,3	67
69,26	12		
83,11-		Midr.Qoh.1,7	29f
84,6	12		
84,2f	18	b.Meg.3a	95
9o,4o	12		
98,1ff	46ff	Bell.2,117f	53.82
1o4,12f	45	2,258-263	78ff
		2,262	8o
4.Esra 4,47	49	3,353f	13.2off
4,51-6,24	74	3,4oo-4o8	23
12,1o-12	41	6,285-315	75f.78.8o
12,35-38	44	7,437ff	78ff
13,3o-32	74		
13,5o	8o	Ant.1o,186-281	22
13,57	12	1o,2oo	22f
14,45-47	3o	1o,2o2	22f
		1o,266-269	22.38.96
syr.Apk.Bar.		1o,268	23f
25,1- 3	74f	1o,277ff	22.72
27,1	75	18,2-1o.23-25	8o.82
28,1f	75	18,23f	53
48,3	44	18,85ff	78ff
54	12	2o,97-99	78ff
54,2-4	43	2o,167ff	78ff
7o,5	46	2o,185-188	78ff
7o,9	98		
75	12		
83,1-4	33.36		

ARBEITEN ZUM NEUEN TESTAMENT UND JUDENTUM (ANTI)

Herausgegeben von Prof. Dr. Otto Betz

Muhlack, Gudrun

DIE PARALLELEN VON LUKAS-EVANGELIUM UND APOSTELGESCHICHTE

Frankfurt/M., Bern, Las Vegas, 1979. 209 S.
Theologie und Wirklichkeit. Bd. 8
ISBN 3-8204-6345-3   br. sFr. 36.–

Wieweit vertritt Lukas noch das eschatologische Denken der früheren Synoptiker, wieweit beginnt mit ihm eine neue Epoche christlicher Geschichte, die weit mehr unter dem Einfluss hellenistischen Denkens steht? Diese die Interpretation des Lukas-Evangeliums wie der Apostelgeschichte bestimmende Frage sucht die Arbeit mit Hilfe aufeinander abgestimmter Partien aus beiden Schriften zu beantworten. Die Darstellung von Wunder Jesu, des Petrus und des Paulus ist hier ebenso aufschlussreich wie Szenen aus dem Leben Jesu und der christlichen Gemeinde und die Bedeutung, die der Antrittspredigt in beiden Schriften zukommt.

Ort, Barbara

DIE KINDHEITSGESCHICHTE JESU NACH LUKAS IN DER GESCHICHTE DER KATECHESE

Eine Untersuchung der katholischen katechetischen Literatur des deutschen Sprachraums für die Zeit von 1777-1967, dargestellt an Lk 1,2638; 2,1-20; 2,41-52.
Bern, Frankfurt/M., Las Vegas, 1977. 337 S.
Europäische Hochschulschriften: Reihe 23, Theologie. Bd. 90
ISBN 3-261-02245-0   br. sFr. 52.–

Die Kindheitsgeschichten Jesu nach Lukas und Matthäus sind seit Einführung der Biblischen Geschichte in den Religionsunterricht fester Bestandteil der Katechese. Die Autorin versucht, anhand ausgewählter Texte (Lk 1,26-38; 2,1-20; 2,41-52) ihre Verwendung in der Geschichte der Katechese nachzuzeichnen. Aus der Spannung zwischen dem ursprünglichen Wortlaut der Schrift und der Auslegung lässt sich auf theologische, pädagogische und gesellschaftlich bedingte Anliegen der jeweiligen Zeit schliessen. Diese herauszufinden ist ein Hauptanliegen der Untersuchung; es werden daneben auch durchgehende Auslegungsfaktoren deutlich. Eine Zusammenstellung der Lehrinhalte zeigt, dass der biblische Text nicht so sehr ausgelegt, dass vielmehr in ihn hineingelegt wurde, was der katechetischen Vermittlung wünschenswert erschien.

Verlag Peter Lang Bern · Frankfurt a.M. · New York

Auslieferung: Verlag Peter Lang AG, Jupiterstr. 15, CH-3000 Bern 15
Telefon (0041/31) 32 11 22, Telex verl ch 32 420